JN051593

わかる!

新NISA投資術

[シン・ニーサ]

[著]
山崎俊輔

技術評論社

NISA取引の実際（楽天証券の場合）

さあ、NISAをはじめよう

投資の世界を身近なものにしてくれるNISA。少額からスタートでき、売買時や運用の手数料なども下がり、トライしやすくなりました。銀行預金だけでは実質、目減りする時代。投資は今や、配当利回りや、値上がり率も期待できる、強い味方となりつつあります。購入までの大まかな流れを見てみましょう。

投資信託の場合

❶ 口座開設後、ログインする

❷ 購入したい銘柄を検索して、設定ボタンを押す

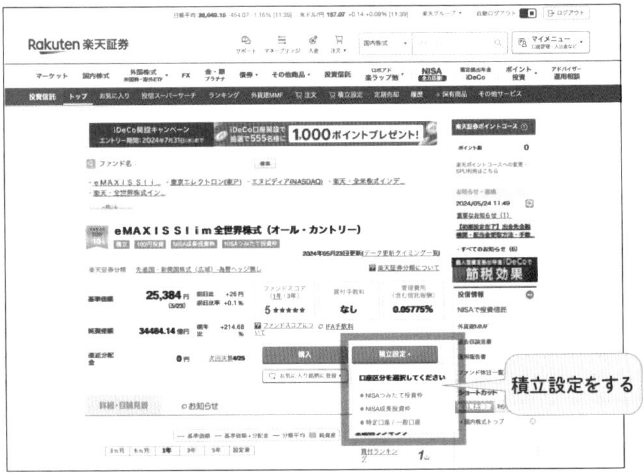

❸ 手順に従い、毎月の積立金額ほかの情報を設定する

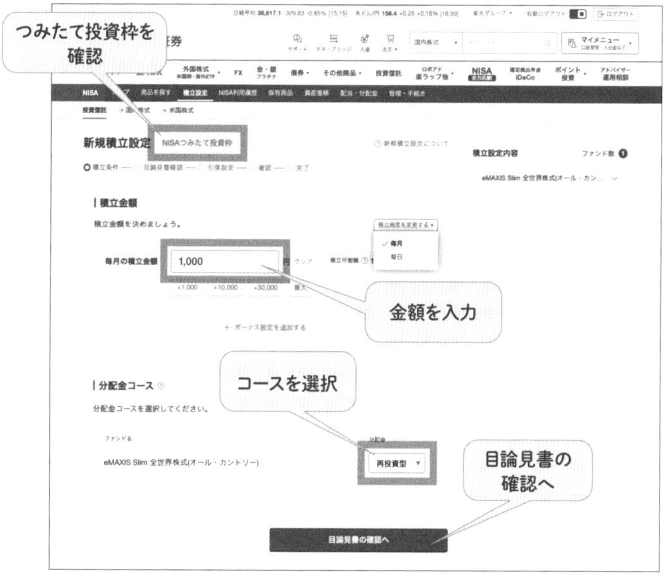

● [積立条件] の設定画面

ここから [目論見書の確認]→[引落方法の選択]
→[設定内容の確認(暗証番号入力)] の順に設定する

※ 画像は3点とも2024年5月25日時点

NISA取引の実際（楽天証券の場合）

さあ、NISAをはじめよう

国内株式の場合

1 購入する際は、「買い注文」をクリックする

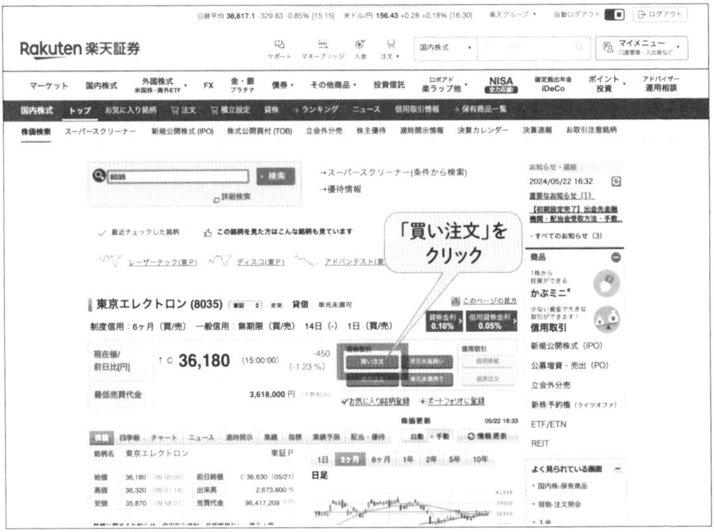

❷ 条件を設定して注文

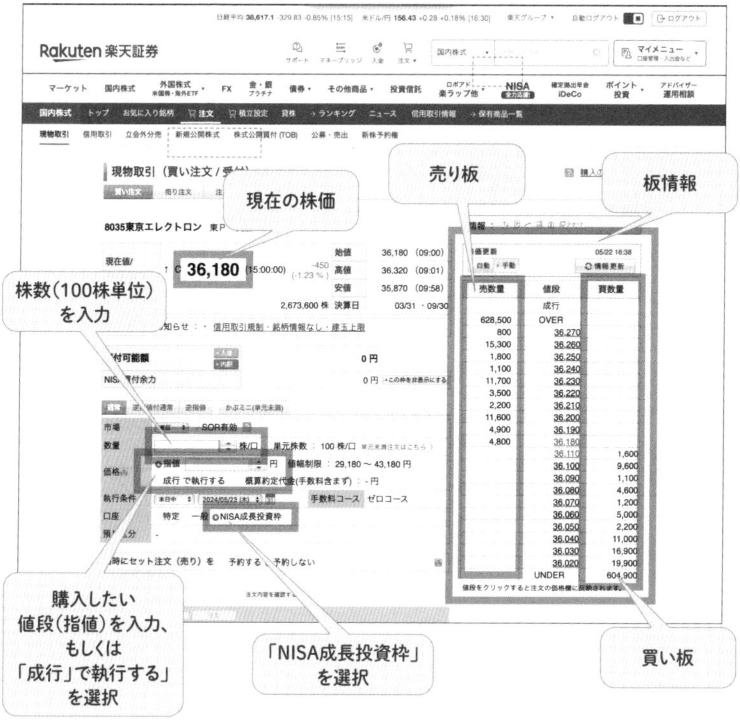

「板」とは?

取引所での注文状況がリアルタイムに見られるものを「板」と呼びます。個別株を購入するときは、こちらの板を参考に数量と価格を入力し、発注します。口座の種類で「NISA成長投資枠」を選択することを忘れずに。

※ 画像は2点とも2024年5月25日時点

Contents

Part 5 日本株による資産運用

Part 6 米国株による資産運用

Part

7 NISA を上手に続けていくために

■『ご注意』ご購入・ご利用の前に必ずお読みください

本書に記載された内容は、情報の提供のみを目的としています。したがって、本書を参考にした運用は、必ずご自身の責任と判断において行ってください。本書の情報に基づいた運用の結果、想定した通りの成果が得られなかったり、損害が発生しても弊社および著者、監修者はいかなる責任も負いません。

本書は、著作権法上の保護を受けています。本書の一部あるいは全部について、いかなる方法においても無断で複写、複製することは禁じられています。

本文中に記載されている会社名、製品名などは、すべて関係各社の商標または登録商標、商品名です。なお、本文中には ™ マーク、® マークは記載しておりません。

◎資料提供：楽天証券

THE BEGINNER'S GUIDE TO NEW NISA INVESTMENT METHODS

Part 1

NISAをはじめたほうがいい5つの理由

投資のためのハードルが今、大きく下がっている

投資をはじめやすくする条件がそろった

今まで投資はハードルが高いものでした。たとえば、

- **まとまった投資資金を必要とした**→株式投資が主たる選択肢で、購入単価も高く、100万円以上で考える必要があった。
- **手数料が高く、利益を得るための条件が厳しかった**→購入時、売却時に手数料がそれぞれ数％かかるため、大きく値上がりしないと儲けにならなかった。
- **投資に関する情報が少なく、かつ情報の伝わるスピードが遅かった**→投資に関する情報が圧倒的に少なく、また紙媒体だったため、数週間から1カ月遅れの情報しか手に入らなかった。

数十年前は投資をしやすい環境とはいえず、いってみれば富裕層の「遊び」のような世界でした。

時代は変わりました。**投資金額は少額からでもスタートできるようになり、手数料も大きく下がりました**。インターネットの普及により投資情報がたくさん、かつ素早く手に入るようになりました。

そのほか、**世界中に分散投資をすることが簡単にできる商品（投資信託）が普及した**ことも個人が投資をするハードル改善に役立ちました。

今、普通の個人が投資をするための環境は大きく改善されています。投資に関する税金を非課税としてくれるNISA制度もそのひとつです。今こそ投資をする絶好のチャンスが到来しているのです。

投資はいますぐはじめられる

今まで		新NISA時代
まとまったお金が投資に必要であり、なかなか手が出せなかった（100万円くらい必要）	低価格! ⇒	株を買うなら10万円くらい、投資信託を活用すれば100円から投資をすることが可能になった
運用に関する手数料が高かったので、大きく値上がりしないと利益にならなかった	低コスト! ⇒	売買時の手数料、運用手数料が大きく下がり、値上がりの多くが手元に残るようになった
投資に関する情報が少なく、また伝達スピードも遅かったため、個人が不利だった	高条件! ⇒	インターネットの普及により情報量、配信速度が劇的に改善された
投資のハードルはとても高かった	⇒	投資をする環境が整った！

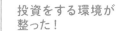

さあ、NISAを
はじめよう

まとめ

- ☐ 少額から投資をスタートできる
- ☐ 売買の手数料が大きく下がった
- ☐ 株式に関する情報が素早く入手できる環境が整った

投資の購入単価は今や100円からの時代

ネット証券なら投資信託を100円から購入も

投資というと多くの人が「100万円くらいあればいい？」「最初に何十万か入金してからやるものでしょう」というイメージを持っているようです。

今の時代、**投資は「ゼロ円スタート」ができます**。毎月、定期預金を積み立てで行うように、投資もゼロから積み立てではじめることができます。投資というと「種銭」「軍資金」のような言葉を用いるように、最初にまとまったお金の準備が必要なイメージがありますが、気にすることはないのです。

また、**投資は「100円」からはじめることもできます**。ネット証券の多くでは最小購入単位を小さく設定しており、それこそ100円から全世界の企業の株主になるような投資方法（投資信託）を選ぶことができます。

銀行などが投資信託の最低購入単価を設定している場合もありますが、それでも数千円から1万円程度のことが多く、この場合でも積立定期預金の感覚とほぼ同じです。

個別企業の株を買う場合でも、かつては株価が高くかつ1000株からしか購入できなかったため、敷居の高い世界でしたが、今では100株からの購入となり数万円から数十万円で1社の株主になることができます。

投資に100万円くらい必要、というのは昔の話。誰でも月100円や1000円の積立ならできるはずです。無理なく、投資をスタートできる今こそ、投資をはじめてみるべきタイミングなのです。

▶ 0円から投資をスタートしよう

【昔の投資イメージ】

「100万円くらいないと買えない」
「まとまった種銭、軍資金が必要」

⇩

ゼロ円から投資ははじめられる

▶ まとまった入金は不要でゼロから積立ではじめてもいい。むしろ投資初心者は少額からスタートすればよい

おこづかい感覚の少額で投資できる

▶ ネット証券なら投資信託で最小100円から購入可能。しかも100円で全世界に投資をすることもできる

【新NISAの時代の投資イメージ】

誰でも、いつでも、投資をスタートすることができる

まとめ

- ☐ 投資は入金不要でゼロ円からスタートできる
- ☐ ネット証券なら最小100円から投資できる
- ☐ 100円から世界中の株に投資できる

銀行預金だけでは「実質目減り」時代である

銀行預金は「安全・確実・実質マイナス」に

物価が上昇する時代がはじまりました。食パンの値段が15%も、同一年内に2回連続して値上げされたり、円安傾向に伴って同一機種のスマホが19%の値上げされたりするようなことは、過去20年以上ありませんでした。**2年連続、物価が2%以上上昇し、値上げされることはもはや日常**となってきました。

モノの値段が上昇することをインフレといいますが、インフレのとき重要になってくるのは資産管理です。10000円で買えたモノが1年後に10300円に値上がりしたら、手元にもっていた現金を300円増やしておかなければ同じモノが買えなくなってしまいます。

銀行預金にしておけば利息がつきますが、現在は物価上昇率に見合う金利は提示されていません。物価が2%上がったときに、銀行預金が0.1%の利息だったら1年後に値上がりしたものは買えません。

銀行預金を私たちは「安全で確実」なものとして理解してきましたが、低利回りが物価上昇率を下回っているとすれば、これはもはや**「安全・確実・実質マイナス」**です。

2024年3月に日銀のマイナス金利政策が解除されたことにより、金利上昇の可能性は出てきましたが、物価上昇に見合う年2.0～3.0%の定期預金金利が提示されるかはまだまだ不透明です。

これに対して投資は不確実ではあるものの、**高い利回り、物価上昇を上回る上昇が期待できます**。物価が上昇するインフレ時代がやってきたこともまた、投資をはじめるべき理由なのです。

物価上昇がはじまった

■消費者物価指数の推移（2020年が100）

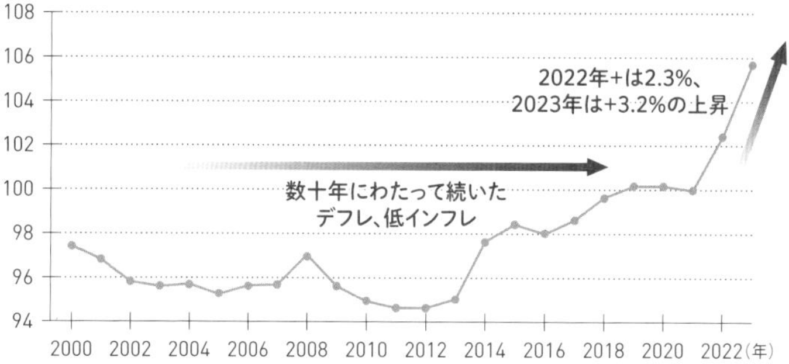

出典：総務省統計局「消費者物価指数（全国平均）」より作図

インフレ時代、銀行預金は「実質マイナス」

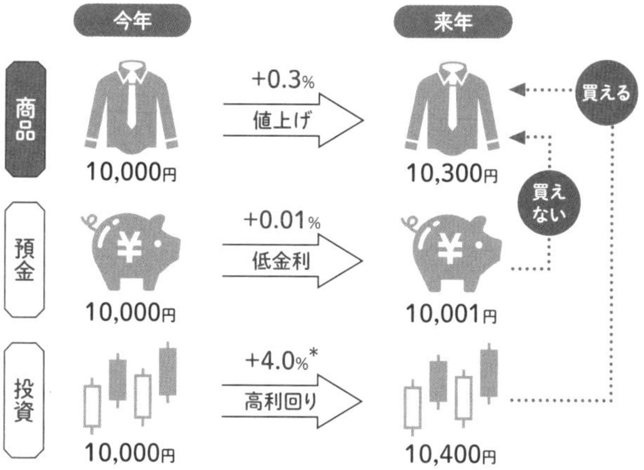

＊国内株式の平均的な期待リターン

まとめ

- ☐ インフレのときこそ。資産管理は重要
- ☐ 銀行預金は物価上昇に見合わず実質マイナスに
- ☐ 投資なら物価上昇を上回る利回りが期待できる

配当利回り、値上がり率は投資のほうが上

▶投資の値上がり率は賃金上昇率を上回る

投資の魅力はやはり「値上がり」が大きいことでしょう。Apple社の株をiPhone発売日に10万円分買っていたら今では何千万円にもなっていた、なんていうエピソードは株式投資の魅力、上昇率の大きさを物語っています。

株式投資や不動産の値上がり率は、平均的にみれば賃金上昇率を上回ります。トマ・ピケティの著書『21世紀の資本』（みすず書房）で有名な「**r＞g**」*の公式です。賃金上昇率と物価上昇率、銀行預金金利はおおむね近い関係にありますから、これを置き換えれば「株式の価格上昇率＞（銀行預金金利や物価上昇率）」となります。

よく「昔は高金利で良かった」といいますが、同時期はインフレも高水準で、預金の利息はほとんど物価上昇で打ち消されていました。重要なのは**物価上昇率を上回っているかどうかで、物価上昇を上回る成長を期待できるのは株式投資などのリスク運用**なのです。

また株式投資については売上をしっかり出している**企業が株主に対して行う配当も魅力が高まっています**。日本の上場企業では平均で2.0%を上回る水準になっており、これまた株式投資の魅力を高めています。銀行に預けて得られない高利回りを、リスクを取った投資がさらに与えてくれるのです（ただし利益が出ていない会社は配当を行わないこともあることに注意）。

投資信託についても、投資している株価の上昇や配当などを含めて投資信託の価格（基準価額という）が上昇化していきます。

＊資本収益率＞経済成長率

株式投資は物価上昇を上回る成長が期待できる

	2021年度	2022年度	2023年度
国内株価の上昇率（TOPIX配当込）	1.99%	5.81%	41.34%
国内株の配当利回り（日経平均）	約1.6%	約2.3%	約1.7%
銀行預金金利（メガバンクの普通預金の例）	0.001%	0.001%	0.001%

★ 株式投資のメリット ★

- ■長期的にみて預金金利を株価の上昇率は上回る（短期的には値下がりもあるが）
- ■特に近年の銀行預金金利は低い状況にある
- ■株式投資は配当も魅力がある

まとめ

- ☐ 株式の価格上昇率 > 銀行預金金利や物価上昇率
- ☐ 株式投資などのリスク運用は物価上昇を上回る成長が期待
- ☐ 株主への配当も魅力あり

経済的安心が人生の幸福度を高める

お金の不安が幸福度を下げている

ギャラップ社の世界幸福度調査というデータを見てみると、日本人の幸福度は世界で51位（2024年版）とあまり高くありません。その理由のひとつは、お金の不安があることです。

日本人の多くがお金の不安を抱えています。特に老後の不安は大きいものとなっています。一時期「老後に2000万円」というキーワードが世の中にあふれましたが、公的年金は破たんするのでは、老後の食費も不足するような状態になるのでは、と未来の不安を感じています。

未来のお金の不安があれば、現在落ち着いて暮らせませんので、幸福度はダウンします。**未来のお金の不安を解消する一番の方法は、資産形成を行うこと**です。「今のお金」を自分の「将来に使うお金」に繰り越し、増やしていくような考え方が必要です。

投資はギャンブルのようにスリルを楽しむものではありません。投資は値動きのある商品を購入しお金を増やすことが目的ですが、その本当の目的はスリルを味わうことではなく、そのお金で将来の安心を得ることなのです。

実際、資産形成が順調に推移しており経済的な安定が確保できている人ほど幸福度が高いという調査もあります。流行だからNISAをやってみる、のではなく、NISAを通じた資産形成が、自分の幸福度を高めていくストーリーの一部だと考えてみてください。

資産形成で不安を解消する

■ お金の不安、特に老後のお金の不安が大きい

老後の不安を感じているか?

不安がある人の合計

82.2%

不安の内容は「公的年金だけでは不十分」であること

79.4%

出典：生命保険文化センター「2022 年度生活保障に関する調査」

■ 資産形成が順調な人は、人生の満足度、幸福度が高い

	資産形成の状況は		人生への満足度は
金融リテラシーが高く、NISAなども活用している層	順調である 79%	⇒	満足である 85%
金融リテラシーが低く、NISAなどの利用率の低い層	順調である 38%	⇒	満足である 54%

出典：野村資産形成研究センター「ファイナンシャル・ウェルネスアンケート」より筆者作成

まとめ

- ☐ 老後の不安が幸福度を下げている
- ☐ 投資はギャンブルではなく、安心を得るもの
- ☐ NISAなどの活用が人生の満足度を高める

Column

投資は下がることもある!

2024年の最初の3カ月は、新NISAの幕開けを祝うかのような上昇相場でスタートしました。34年ぶりに日経平均株価はバブル最高値を突破し、さらに上昇を続け4万円台に達しました。

振り返ってみると、日経平均株価が8000円まで落ち込んだところからスタートしたアベノミクス相場で投資経験をした人はおおむね上昇相場が続いており、投資をすればとにかく増える時期が続いています。

一方で、ウクライナに加えて、イスラエル・中東の政情不安が高まったことや、拙速すぎる急上昇の反動などから、国内株価は調整に入り、バブル最高値を下回るところまで下がっています(執筆時点)。もしかするとここからしばらく株価が下がる局面もあるかもしれません。

個人投資家は「下がることもある」という意識をしっかり持つことが大切です。最近は、下がった経験を持たない初心者が増えていますので、投資の下落リスクについて覚悟しておく必要があります。

といっても、「下げに転じたらうまく売り抜けろ」という意味ではありません。むしろ上げ下げのうち下げ局面は新規で積立投資をするにはよいチャンスと考えこれを継続、すでに投資をしている資金についてはじきに回復するだろうからと損失確定は回避することが有効です。NISAの場合、年間投資枠がありますから、短期的に売ってまた買い直すことは年間投資枠のムダづかいになってしまいます。下げ相場と落ち着いて向き合えるようになれば、あなたも立派な個人投資家といえるでしょう。

THE BEGINNER'S GUIDE TO NEW NISA INVESTMENT METHODS

Part 2

新NISA制度のしくみを知ろう

NISAとは「口座」であって商品ではない

NISAとは非課税投資を行う「口座」のこと

ときどき「NISAを買いたい!」という人が銀行にやってくるそうです。すでにNISAをはじめている人はおわかりでしょうが、NISAは商品名ではありません。

NISAは非課税投資を行う「口座」のことです。銀行で預金をするとき銀行口座を、証券会社で投資をするとき証券口座を開設するように、NISA口座を開設し、その中で株式や投資信託などを購入すると運用益が非課税になります。

投資というと証券会社というイメージがあります。実際多くのNISA口座は証券会社で開設されています。しかし、証券会社以外にも、銀行や生命保険会社などでNISA口座を開設できます。

銀行口座について、「コンビニATMで無料のところを選ぼう」とか「金利が高いところを選ぼう」のように金融機関選びをすると思います。NISAも同じように、**どの金融機関を選ぶかでサービスが異なってきます**。

取り扱っている金融商品の違いもあります。たとえば銀行のNISAでは投資信託のみを取り扱っており、厳選した数十本程度という傾向があります。これに対して大手ネット証券のNISAの場合、国内の株式、米国株式、数百本以上の投資信託などを選べるなど違いがあります。

NISA口座はひとり1口座しか開設することができません(年単位で異なる金融機関を選択することは可能)。そのため「どの金融機関でNISA口座を作るか」をしっかり考えることが必要です。

● NISA口座の株式や投資信託は運用益が非課税

銀行
BANK

銀行口座
を作る

銀行預金
課税

銀行預金をする

証券会社
SECURITIES

証券口座
を作る

株式や
投資信託
課税

株式投資をする

銀行・証券会社など
FINANCIAL INSTITUTION

NISA口座
を作る

株式や
投資信託
非課税

NISAで投資をする

NISA という商品が
あるわけではありません。
NISA 内での投資は
運用収益が非課税となるのが
魅力です

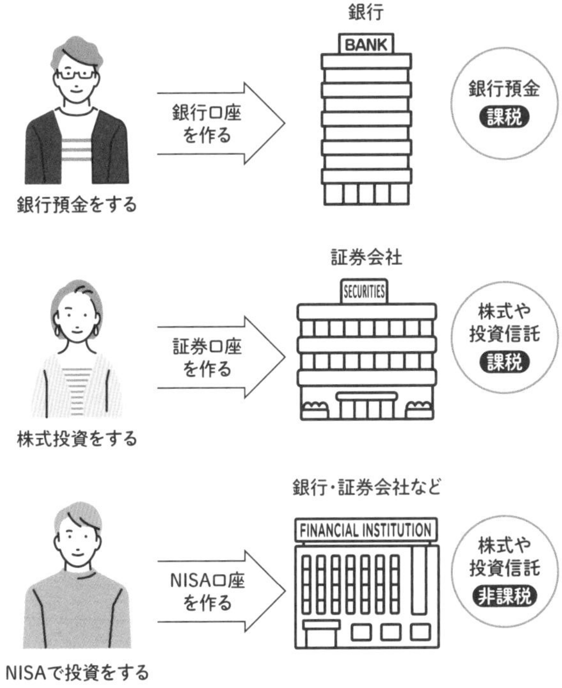

まとめ	☐ NISAは非課税投資を行う「口座」を指す
	☐ 株式や投資信託などを購入すると運用益が非課税に
	☐ 銀行のNISAは投資信託のみ。ネット証券は株式も

最大のメリットは売却益と配当が非課税!

本来なら課税される運用収益の約20%が非課税になる

NISA 最大の魅力は、**運用収益が非課税となること**です。最大のメリットをまず確認してみましょう。

株式や投資信託などの値上がり益を売却時に得たとき、あるいは株式の配当や投資信託の収益分配金を得たとき、そして銀行の預金の利息を得たときなど、その収益は課税対象となっており、なんと**20.315% もの税金が引かれます**(復興特別所得税 0.315% を含む)。

約 20% というのはなかなかの税率です。値上がりしたり値下がりしながらも売却の日までこらえて、30 万円の投資が 35 万円まで値上がりしたとします。ところが 5 万円の値上がり分をまるごと受け取ることはできず、約 4 万円しか受け取れないわけです(そのほか、売却手数料がかかることも)。これが NISA であれば、全額 35 万円を手元に残すことができます。これは大きいですね。

第 1 章で株式投資の魅力のひとつに配当があることを紹介しました。近年では株価の 2.0% 以上になることも珍しくありません。こちらも非課税でまるごと受け取ることができます。これがもし約 20% 課税されれば手取りは 1.4% と 0.6% もダウンしてしまいます。銀行預金でも年 0.1% にもならないところ、0.6% も引かれたらたまりません。こちらも NISA の魅力の大きいことが実感できます。

なお、配当を非課税で受け取るには、証券口座で受け取る**「株式数比例配分方式」を口座開設時に選択する必要がある**ので、最初の手続きの際に注意してください(基本的にはそのような初期設定になっているはずです)。

▶ NISAで投資すると大きなメリットがある

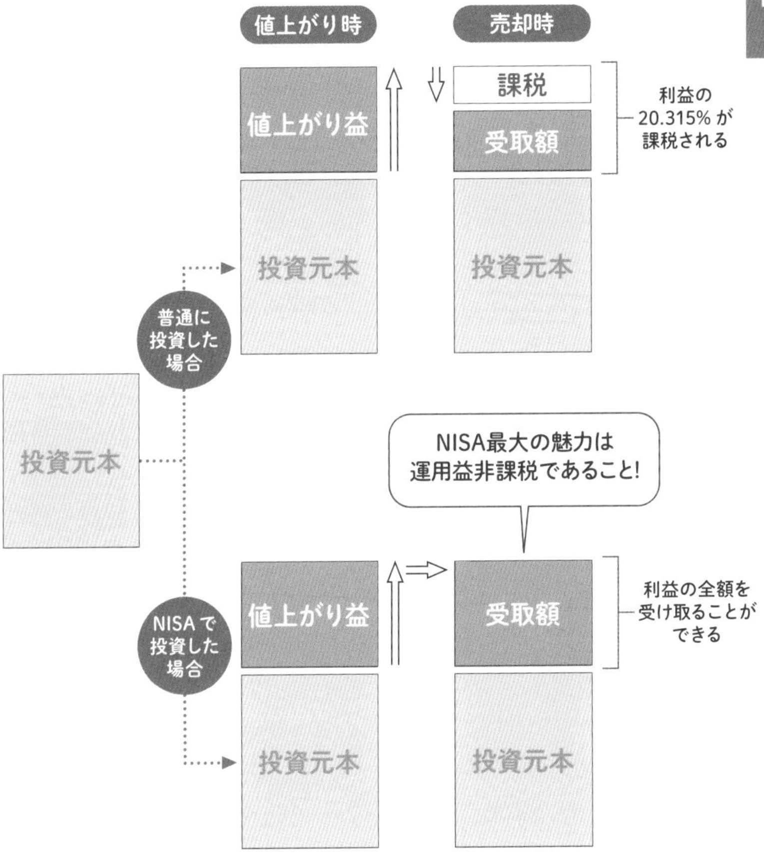

まとめ	
	☐ 通常、運用収益の約20%が課税される
	☐ NISAは、運用収益が非課税になる
	☐ 配当も非課税に

非課税かそうでないかの違いはどれくらいか

投資金額が大きく長期化するほどメリットは大きい

あらためて、非課税かそうでないかの違いを金額でも確認してみましょう。

たとえば毎月3万円を積立投資したとします。年4%の値上がりがあったとします。20年もがんばれば、元本720万円が積み上がり、運用益を加えた資産は1100万円まで値上がりすることになります。

これを**NISAなら全額受け取ることができます**。ところが、通常の課税口座で投資をしていれば20.315%が引かれてしまいますから、1023万円しか受け取れないことになってしまいます。この差「77万円」こそがNISA最大のメリットということになります。

なお、**投資金額が大きくなるほど、また投資期間が長期化するほど、そして運用利回りが高くなるほどに、NISAの非課税メリットは大きくなります**。

同じ例も月6万円の積立をしたとすれば、最終受取額は2201万円、税引きされなかったメリットは155万円と倍増になります。この差をNISAを使わずほかの運用方法（短期売買を繰り返すなど）で埋めるほうが大変です。

また月3万円は同額でも30年続けることができると最終受取額2082万円とこちらも2000万円の大台に乗ります。そして、税引きされなかった非課税メリットは204万円とこれまた大きくなります。

できるだけ早く、NISA口座をスタートさせたほうがいい理由のひとつは長期でこの非課税メリットを活用したほうがいい、という点にもあるのです。

● NISAならより大きく資産が増やせる

もし課税されたら
77万円もひかれ
1023万円
受け取りに

年36万円
20年／年4.0%で
1100万円

投資元本
720万円

| 通常の投資 | 元本 | + | 課税された場合の運用収益 | | |
| NISA | 元本 | + | 課税された場合の運用収益 | + | 課税されなかった分の運用収益 |

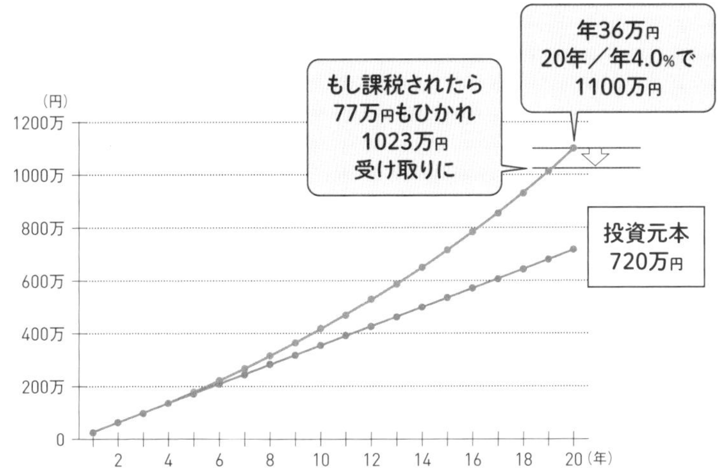

▶ より早く、
より多く
資産を
増やせる！

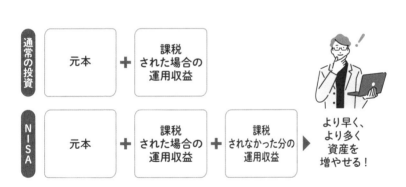

まとめ	☐ 投資金額が大きくなるほど非課税メリットは大きくなる
	☐ 投資期間が長期化するほど非課税メリットは大きくなる
	☐ 運用利回りが高くなるほど非課税メリットは大きくなる

運用期間は無期限。成人なら利用できる

国内に居住する成人ならOK。年齢制限の上限はなし

国が講じる税制優遇の多くは通常、時限措置として設けられます。たとえば住宅ローン減税などは「急いで利用しないともったいない」というように国民を急かす目的もあって「20XX年まで」のようなタイムリミットがありました。様子をみながら再延長されることもあり、その都度、利用条件が変化することもあります。

従来のNISAは「投資をした年から数えて5年目の年末まで（一般NISA）」「投資をした年から数えて20年目の年末まで（つみたてNISA）」のように、非課税投資をすることができる期限がありました。さらに「NISA口座の開設は20XX年までは可能。それ以降は別途定める」という期限も設けられていました。

いつかは終わってしまうとなれば、長期投資をじっくりかまえて行うことができません。岸田内閣の資産所得倍増プランでは、NISA口座の恒久化を明確に打ち出し、2024年から**NISA制度は恒久化されることが確定、また運用期間は無期限**となりました。

これにより、私たちはタイムリミットを気にすることなく、自分が売りたいタイミングで売ることを考えればよく、長期でかまえて運用をできるようになりました。

NISA口座を利用できるのは国内に居住する成人となっています。つまり18歳以上ですが、年単位で管理する関係で、18歳になった翌年の1月1日から口座開設ができるようになります。

なお、利用年齢の上限はありませんので、何歳になってもNISAを続けていくことが可能となっています。

これからのNISAは恒久化、運用期間無期限に

今までのNISAは「期限つき」だった

	一般NISA	つみたてNISA
非課税投資期間	最大5年（投資をした年から5年目の年末まで）	最大20年（投資をした年から20年目の年末まで）
制度の存続期間	制度そのものの継続は未定（数年ごと更新）	

⇒ 落ち着いて長期投資ができない

▼

これからのNISAは無期限、恒久化

非課税投資期間	期限なし
制度の存続期間	制度の恒久化（無期限）

⇒ 安心して制度を利用、長期投資が可能になる

■ 成人になったらNISAに加入可能

まとめ

- □ 2024年からNISA制度は恒久化された
- □ NISA口座の運用期間は無期限となった
- □ 国内に居住する成人なら利用でき、年齢の上限なし

2つの投資枠がある（成長投資枠とつみたて投資枠）

「成長投資枠」と「つみたて投資枠」どちらを使うか

NISA口座は2024年から1つの口座に集約されました。これまでは一般NISAかつみたてNISAか、口座開設時に選択する必要があったのですが、そうした手間はなくなったわけです。

しかし、NISA口座の「中」で、2つの投資枠が用意されており、どちらで購入するかは検討する必要があります。**「成長投資枠」と「つみたて投資枠」がそれで、それぞれ旧来の一般NISA、つみたてNISAのコンセプトを引き継いだものとなっています。**つまり、1つのNISA口座といっても、従来あった2つのNISA口座が合併、内包されているわけです。

成長投資枠は、上場企業の株式、投資信託やETFなどが対象です。個人向け国債やリスクが極めて高い投資信託などはNISAの対象外となっていますが、基本的なイメージとしては、証券口座で購入することのできる商品の多くが成長投資枠で購入できる対象と考えていいでしょう。

つみたて投資枠は、その名前のとおり「積立投資」を前提とした枠組みです。定期的に一定額を入金し投資商品を購入するもので、銀行の積立定期預金を投資でやるようなイメージです。年に1回以上は積立投資をしなければならず、基本的には毎月の積立設定で考えるといいでしょう。また、積立投資に向いている投資信託やETFが購入対象となります。こちらは低コストであるなどあらかじめ金融庁が要件を定めた商品のみが対象となっているため、投資初心者が選びやすいようになっています。

● NISAは1口座で管理できるようになった

今まではどちらかのNISA口座を選択した

一般NISA	**OR**	つみたてNISA
最大5年		最大20年

▼　　　　　　▼

これからは1口座で管理される

成長投資枠 （旧一般NISAに相当）	**つみたて投資枠** （旧つみたてNISAに相当）
スポットで買う	定期的に 積立購入
個別株が買えるし 投資信託でもOK	投資信託が中心

最初に選ばなくていいので
とりあえずNISA口座の
開設だけすればいい!

2つのNISAが
合体したような
イメージね

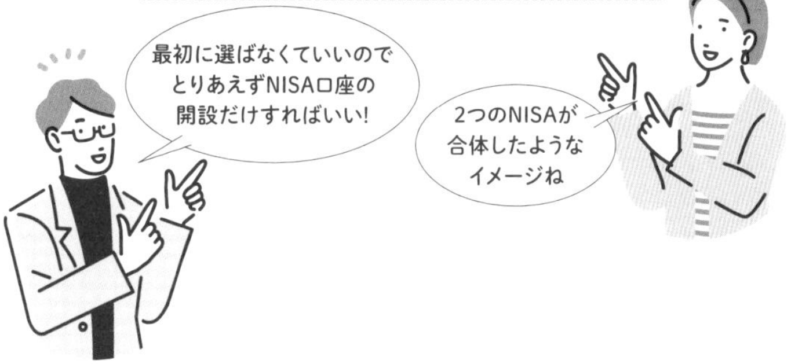

まとめ	☐ NISA口座は2024年から1つの口座に集約
	☐ 成長投資枠は、上場企業の株式、投資信託やETFなどが対象
	☐ つみたて投資枠は、積立投資を前提とした枠組み

年間で投資できる上限はどれくらいか

「年間の投資上限」と「総枠としての投資上限」がある

NISAが非課税口座として有利であったとしても、無条件に売買できるわけではありません。具体的には「年間の投資上限」と「総枠としての投資上限」があります。

まずは年間の投資上限枠を確認してみましょう。NISAには成長投資枠とつみたて投資枠の2つの枠組みがあると説明しましたが、それぞれに年間投資上限が設定されています。

まず**成長投資枠については年間240万円という大きな枠が設定されています**。この金額だとほとんどの上場企業の株が購入できます（多くの企業は100万円より低く購入できる）。ベースとなっている一般NISAが年120万円だったので枠は倍増したことになります。

つみたて投資枠については年120万円の枠が設定されています。積立ですから月あたりに直したとすれば月10万円の枠に相当し、ほとんどの会社員にとっては十分な枠でしょう。こちらもベースとなったつみたてNISAが年40万円だったので3倍増です。

合計すると**1年あたり360万円の非課税投資を行うことができ**、これはもはや「少額投資非課税制度」という本来の名称のイメージを超えた使い勝手の広い制度となりました。

なお、実際の活用にあたっては上限を気にする必要はまったくありません。「私は毎月数万円の積立でNISAを活用する」というような形でいいのです。普通の人は年間の上限は気にせず、無理のない範囲で枠を活用していきましょう。

（なおNISAでいう1年は1月1日から12月31日の暦年です）

▶ 成長投資枠は2倍、つみたて投資枠は3倍に

今までの非課税投資枠

一般NISA	OR	つみたてNISA
年120万円		年40万円

▼

これからの非課税投資枠

成長投資枠	つみたて投資枠
年240万円	年120万円
旧制度の2倍!	旧制度の3倍!
▶株価の高い企業も買え、複数の企業に投資ができる	▶最大で月10万円の積立投資が可能

合計で年360万円の非課税投資が可能

旧制度の3～9倍に!

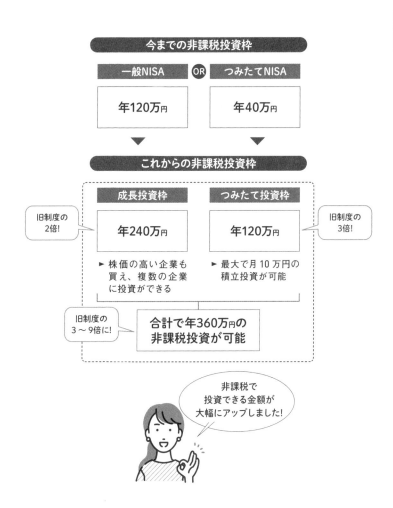

非課税で
投資できる金額が
大幅にアップしました!

まとめ	
	☐ NISAには「年間の投資上限」と「総枠としての投資上限」がある
	☐ 成長投資枠は年間240万円、積立投資枠は年間120万円が上限
	☐ 合計で年間360万円の非課税投資ができる

累計で投資できる上限はどれくらいか

NISAの非課税枠は全体で1800万円が上限

NISAの非課税枠については、投資できる総枠の上限も設定されています。2024年からのNISAは、**成長投資枠、つみたて投資枠に分かれましたが、全体で1800万円が上限となっています**。

1800万円という枠は購入時の価格（取得時の簿価）で判断します。1750万円分、株や投資信託を買ったとして、1900万円まで値上がりしている人があったとします。一見すると1800万円の上限枠を超えているようですが、あくまで購入時の価格で判断するので、このケースではまだ50万円分の新規購入枠が残っていることになります。

今どれくらい購入できる余地が残されているかは、WEBサイトなどでNISA口座を提供している金融機関にアクセス、ログインすると確認することができます。

もうひとつ、**NISAの1800万円という枠は、再利用することができます**。1800万円の上限に到達してしまった場合であっても、売却をした場合は、売却金額に応じた枠が復活します。

このとき、値上がりをしている場合も、あくまで購入時価格で判断します。50万円の株が70万円に値上がりしていたとして、これを売却したとき、復活するのは70万円でなく、50万円分です。

投資信託の場合、複数回の購入については総平均で考えます。また、成長投資枠購入分とつみたて投資枠購入分は別で判断します。

復活するのは翌年1月1日です。年単位で復活する余地を計算し、その分が翌年の新規購入枠ということになります（もちろん、年単位の投資上限を超えることはできません）。

● 新NISAの投資枠は全体で1800万円に

今までの投資上限

一般NISA	OR	つみたてNISA

年120万円
×5年分
=最大600万円

年40万円
×20年分
=最大800万円

これからの投資上限

成長投資枠	つみたて投資枠

旧一般
NISAの
3倍!

合計で1800万円

旧つみたて
NISAの
2.25倍!

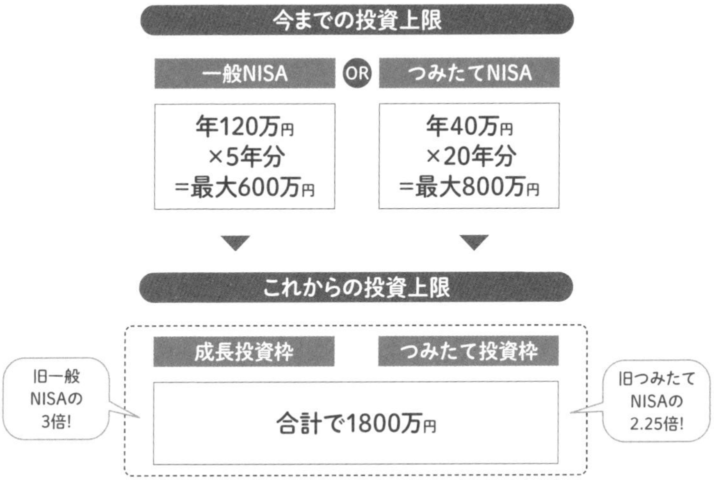

■ 1800万円の判断は、購入時の価格で判断する

どんなに
値上がりしても
OK!

運用残高が
1800万円で
もう NISA は
買えない?

運用益
200万円

投資元本
1600万円
(購入時価格)

1
8
0
0
万
円

運用益
300万円

投資元本
1800万円
(購入時価格)

購入時の価格で
1800万円まで
NISA 口座を
利用できる

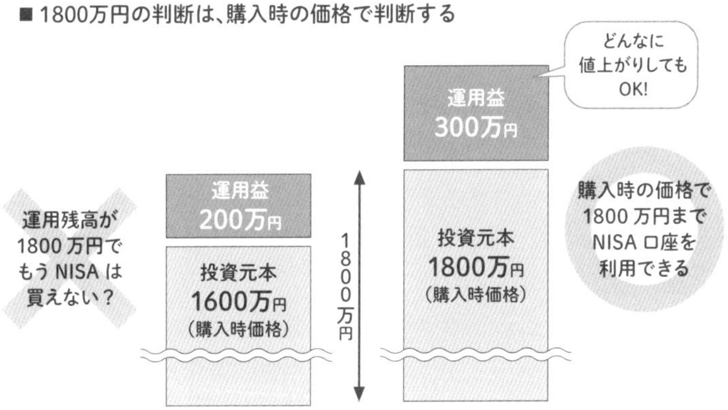

まとめ	□ NISAの非課税枠は全体で1800万円まで □ 1800万円という枠は購入時の価格(取得時の簿価)で判断する □ NISAの1800万円という枠は再利用できる

投資上限に近づいたら注意すべき点はなにか

積極的な売買も「成長投資枠は1200万円まで」

NISAの基本的な仕組み、知っておきたい最後のルールは、成長投資枠の上限です。「NISAで1800万円まで」が上限枠だというお話は前項でしましたが、成長投資枠とつみたて投資枠で自由にシェアしていいわけではないのです。

NISAは中長期的な資産形成に資する制度として期待されており、その中心に置かれているのはつみたて投資枠のほうです。一方で毎月一定額を積み立てる投資信託購入と、1社10万円以上の個別企業の株式購入（成長投資枠で買う）とでは、金額として成長投資枠のほうが大きくなってしまいがちです。年間投資枠も成長投資枠のほうが大きいのはそのためです。

両者のバランスを取るために、成長投資枠の利用に一定の歯止めを設けることになり、**「成長投資枠は1200万円まで」**というルールが追加されることになりました。いいかえれば**1800万円の枠組みをフル活用したい場合、少なくともつみたて投資枠を600万円以上活用しなければならない**ことになります。

投資信託を活用してつみたて投資枠をコツコツ利用していく人はまったく問題ないルールです。つみたて投資枠だけで1800万円使い切ってもまったく問題ありません。

しかし、個別株投資を中心に、NISAで積極的な売買をやろうとしている人にとっては一定の制約条件となります。購入時の価格で累計1200万円まで、年間240万円までの購入が、個別株投資をNISAで行うための条件となるわけです。

● 投資枠は枠は売ると翌年回復する

■ 成長投資枠は1200万円まで

合計で1800万円

成長投資枠	つみたて投資枠
► 成長投資枠は1200万円を超えない範囲に納める必要がある（個別株などは1社で数十〜数百万円になることもあり高額になりがちで管理が必要）	► 成長投資枠が1200万円以内ということはつまり、600万円以上つみたて投資枠を使わないとNISAをフル活用できない（つみたて投資枠だけで1800万円使ってもいい）

■ 1800万円の枠は売ると翌年回復する

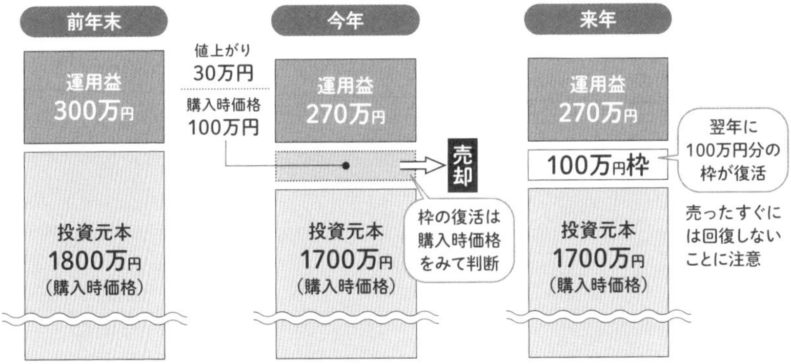

前年末	今年	来年
運用益 300万円	値上がり 30万円 / 購入時価格 100万円 / 運用益 270万円	運用益 270万円
		100万円枠 — 翌年に100万円分の枠が復活
	売却	売ったすぐには回復しないことに注意
	枠の復活は購入時価格をみて判断	
投資元本 1800万円（購入時価格）	投資元本 1700万円（購入時価格）	投資元本 1700万円（購入時価格）
NISA上限到達で新規買付不可	購入時100万円、運用益30万円の商品を売却	売却した商品の元本分、NISA枠が復活する

まとめ	□ 成長投資枠とつみたて投資枠で自由にシェアしていいわけではない
	□ 積極的に売買する人も「成長投資枠は1200万円まで」
	□ つみたて投資枠だけで1800万円使い切っても問題なし

Column

iDeCoもあわせて利用したい

本書はNISAの案内書ですが、NISAとあわせて利用を検討したい制度のひとつがiDeCo（個人型確定拠出年金）です。

iDeCoはNISAと同様に運用益非課税の仕組みですが、これに加えて毎月の積立金（掛金）は所得控除となって節税効果が高まるのが魅力です。現役時代は税率も高いので、20%ないし30%ということもありますが、これを引かれずに自分の老後の財産に転嫁できるのがiDeCoというわけです（受取時に精算課税となるが非課税枠ないし低い税率により有利に受け取れる）。

iDeCoとNISA、どちらを優先するべきかは悩ましい質問です。税制優遇を考えればiDeCoに明らかに分があるものの、年間積立枠はNISAのほうが大きく設定されています（iDeCoは働き方により年14.4～81.6万円だが会社員のほとんどは14.4～27.6万円の範囲に抑えられてしまい月数万円程度の枠）。

またiDeCoは老後資産としての活用を前提としており60歳以降受取を要件としているため中途解約ができないことになります。30～50歳代の資金ニーズには使えないのは悩ましいところです。

とはいえ、枠が小さいことと、誰しも老後の備えは必要なことを考えれば、iDeCoの活用はNISAに優先してもいいと思います。「これだけは取り崩さない老後のための積み立てなんだ」と腹をくくれば、税制優遇で勝るiDeCoを満額積み立て、その後NISAを活用していくといいでしょう。

NISAを取り扱っているオンライン証券のほとんどはiDeCoも取り扱っています。ぜひ調べてみてください。

THE BEGINNER'S GUIDE TO NEW NISA INVESTMENT METHODS

Part 3

新NISAで投資をはじめるには

NISA口座はどこで開設できるか

証券会社、銀行系金融機関ほかで開設できる

NISAは金融商品ではなくあくまで「口座」です。どこかの金融機関でNISA口座を開設する必要があります。

都市銀行、地方銀行、信用金庫や労働金庫などの銀行系の金融機関はNISAを取り扱っており、ATM付近にパンフレットがよく置いてあります。一部の生命保険会社もNISAを提供しています。

とはいえ、多くの場合、**証券会社をNISAの口座開設先で選ぶことが多い**と思います。現在、NISA口座の獲得数競争でしのぎを削っているのは、オンライン証券のトップ2である**楽天証券**と**SBI証券**で、全体の8割くらいを占めているといわれています。

この2社はNISA内での個別株売買手数料無料のサービスを打ち出したり、先進的な取り組みの多いことで知られています。NISAをスタートさせるにあたってまったく問題ない選択肢です。もちろん、ライバルとなっているオンライン証券会社各社もNISAのサービスで存在感を出そうと取り組んでおり候補のひとつになります。

ユニークなチャネルとしては、QRコード決済のグループとしてNISAを提供している証券会社もあります（PayPay証券など）。この場合、いつも利用しているQRコード決済の画面とシームレスにNISAの情報が連携されるので、使いやすさがあります。

また、**NISAの積立投資を行う場合、銀行からの引き落としだけではなく、クレジットカードから引き落とすことができます**。ポイント還元が得られる場合もあって（各社の定めによる）、お得な積立方法として注目されています。

NISA口座を開設できる金融機関

■ NISA口座は1人1口座、1カ所選ぶ

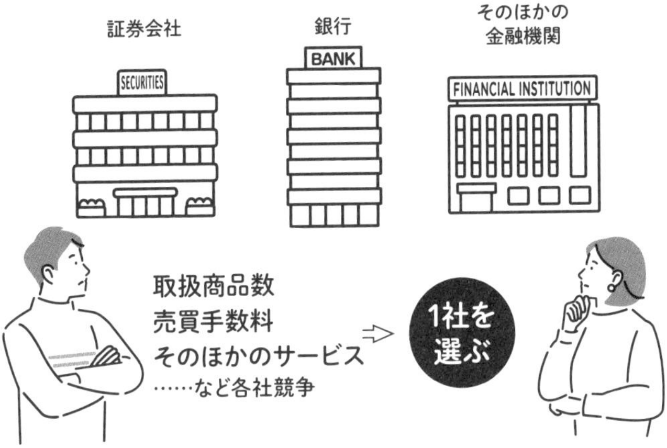

■ 積立投資をする場合、銀行かクレジットカードを連携

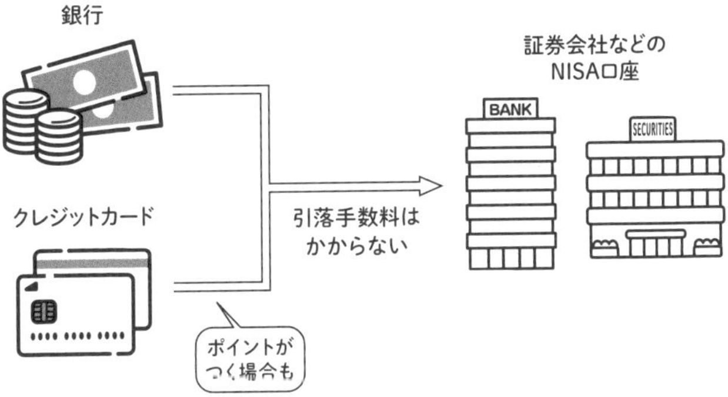

まとめ	
	□ NISA口座は証券会社、銀行系金融機関ほかで開設できる
	□ NISA口座開設数のトップ2は楽天証券とSBI証券
	□ 積立投資は銀行からの引き落とし、クレジットカードも

NISA口座は1人1口座、年単位

口座開設時にはマイナンバーなどで本人確認も

NISA口座は「1人1口座」しか作ることができません。

強力な税制優遇があり、投資の上限も定まっているわけですから、2つ3つと1人が作ってはいけないわけです。上限は合計で超えないようにしつつ、複数金融機関で口座を持つこともできません。

チェックは厳格に行われます。口座開設時にはマイナンバーなどで本人確認を行いますが、仮に2口座を同時に開設しようとしても手続きが遅いほうはキャンセルされます。

また、一定期間ごとに本人確認を行います（新NISAの定期チェックルールは現状未定）。そのため転居時の住所変更などもしっかり行うようにしましょう。

1人1NISA口座のみ、ということは最初にどの金融機関で口座開設手続きをするかが重要です。サービスの比較サイトなどを活用して、好みの商品を提供してくれ、また手数料などでも問題のないところを選ぶようにしましょう。

もし**金融機関を変更したい場合、NISA口座は「年単位」で管理され、翌年以降は金融機関の変更ができます**（すでに開設済みであっても、同一年内にまだ一度も買付していない場合は変更可能）。
「この金融機関、思ったよりサービスが良くないから変更したいな」と思ったら、新たに開設する金融機関で案内に従ってください。

ところで、1人1口座、ということをうまく活用すれば、**「夫婦でNISAを2口座持つ」**ことは問題ありません。そうすれば最大で3600万円の非課税投資口座を夫婦で持つことができます。

複数のNISA口座は開設できない

■ NISA口座は1人1口座　厳しい本人確認

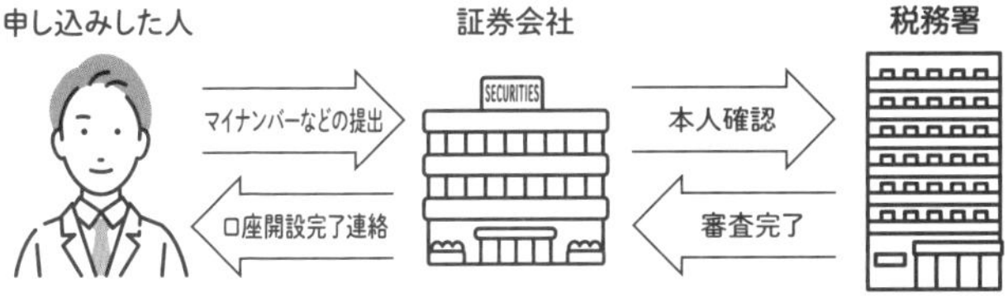

申し込みした人

口座開設完了連絡

■ NISA口座は年単位で変更可能

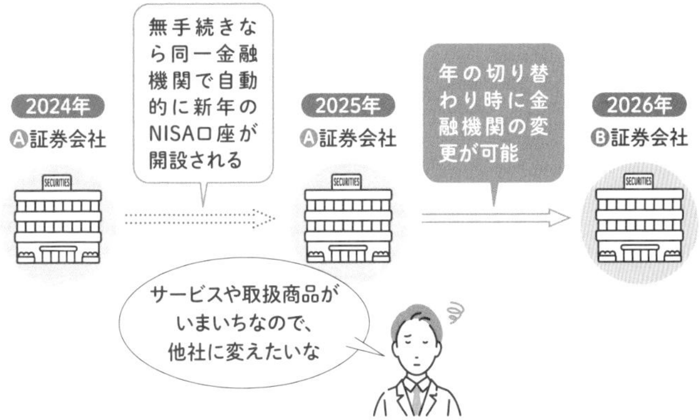

サービスや取扱商品がいまいちなので、他社に変えたいな

■ NISA口座は夫婦で2口座可能

1800万円の枠が十分なら1口座でOK
夫婦それぞれ2口座開設なら3600万円の非課税枠!

まとめ

- ☐ NISA口座は「1人1口座」しか作れない
- ☐ 「年単位」で管理され、翌年以降は金融機関変更できる
- ☐ 夫婦でNISAを2口座持つこともできる

NISA口座開設の基本的な流れ

商品を選び、取り扱っている証券会社などを絞り込む

NISA 口座開設の一般的な手続きの流れを説明してみます。

まず最初に行うのは**「金融機関選び」**です。比較検索サイトなどもありますので、NISA 口座を開設する金融機関をひとつ選んでください。「**新 NISA ナビ**」など金融機関名から、あるいは商品名から絞り込みを行える、便利な検索サイトがあります。「この投資信託が買いたい」のように先に商品を選んで、その商品を取り扱っている証券会社などを絞り込めると理想的です。金融機関によって詳細は異なりますが、おおむね以下のような流れで口座開設になります。

手順① 金融機関の WEB サイト（アプリの場合も）にアクセスし所定の指示に従い、必要事項を記入：住所は住民票と同じ住所を正確に記入しましょう。

手順② 本人確認を行う：スマホ経由でマイナンバーカードを用いて本人確認できる金融機関が増えています。免許証などを用いる場合は郵送でのやりとりになり口座開設日数がかかります。

手順③ 仮口座が開設される：WEB 完結の場合は最短で翌営業日、郵送の場合は最短 5 営業日で口座開設が行われます。証券口座、NISA 口座が同時に開設され購入が可能になります。

手順④ 税務署の確認が完了する：マイナンバーを用いて税務署が NISA 口座の確認を行います。これにより、今後の NISA 口座の取引が非課税で行えることが確定します。

スマホ対応している金融機関の場合、基本的な手続きは自宅で行えまた日数も短くすみます。ぜひ活用してみましょう。

NISA口座開設の流れ

金融機関のWEBページ（アプリの場合も）にアクセス

- 申し込みは一カ所のみ（複数申し込んだ場合では、口座開設は1社のみ認められる）
- どの金融機関に悩んだ場合は比較サイト（NISAナビなど）を活用するのも一手

▼

必要事項を記入する

- 住所、氏名などの本人確認情報を記入（証券口座未開設の場合は、証券口座の開設手続きも同時に行う）

▼

本人確認を行う 初期設定、マイナンバー登録

- スマホ経由の場合、個人番号カードや免許証、住民票の写しほかで本人確認が可能
- ログインIDをメールで受け取り、初期設定・マイナンバー登録後、税務署での審査が行われる

▼

証券口座、NISA口座が同時に開設され購入が可能になる

- 証券口座、NISA口座が同時に開設され購入が可能になる
- 積立投資の設定、スポットでの購入などを行う

まとめ

- ☐ NISA口座を開設したい金融機関を選ぶ
- ☐ 金融機関のサイトなどで指示に従い手続きする
- ☐ 口座開設時にはマイナンバーなどで本人確認する

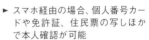

つみたて投資枠で買うときの流れ

一度指定すれば、あとは自動的に商品購入される

つみたて投資枠で購入する場合、基本的に定期的な購入となります。また購入対象となるのは**投資信託（とETF）のみ**です。

定期的な購入の頻度は個人のニーズおよび金融機関のシステムにより決まりますが、ほとんどのケースでは「毎月」となるでしょう。

つみたて投資枠での購入は「最初の積立投資の指定」が一度完了すれば、あとは自動的に商品購入がされる仕組みとなります。そのため積立し忘れやサボりなどはなくなります。

金融機関ごとに詳細は異なりますが、具体的な投資信託の商品名、購入金額など、右表にある事項を指定します。

引き落とし方法については、銀行口座を指定する場合、振込手数料はかからないのが基本です。ただし残高不足で引き落としが失敗しないよう注意しましょう。定期預金を少し組んでおくと、当座貸越（引き落としを優先し、一時的に残高をマイナスにしてくれる）ができるので便利です。

クレジットカードを引き落としに使う場合は引き落としミスはなくなりますし、ポイントがもらえることもあります。投資をしていたらポイントが貯まるということで、若い世代の「ポイ活」の選択肢としても注目されているようです。クレジットカード会社と証券会社の連携状況、あるいは投資信託によって還元率が異なります。将来還元率が変更になる可能性もあるので高望みは禁物です。

● 金融機関のサイトで引き落としなどの初期設定をする

銀行

クレジットカード

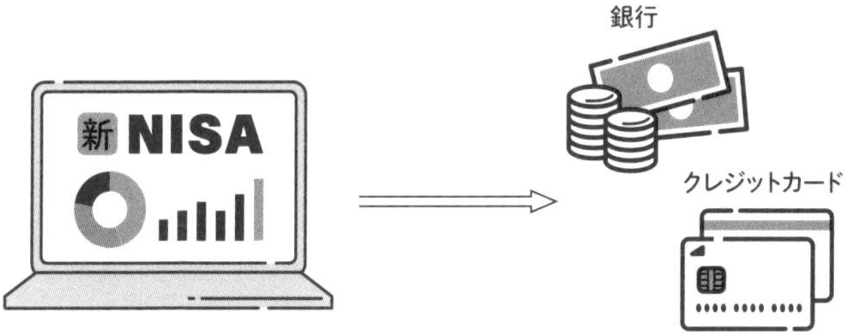

金融機関の
WEBページなどにアクセスし
初期設定する

次回引き落とし日以降、
自動的に引き落としと
買い付けが行われる

【定期購入頻度】
月に一度、など指定する

【定期購入日】
金融機関が指定する場合と、自分
に選択の余地がある場合がある

【引き落とし方法】
銀行口座やクレジットカードを指定
する

【購入する商品】
複数の投資信託を同時に指定して
もいい

【購入する金額】
複数の投資信託を購入する場合は
それぞれに金額を指定する

積立投資なら
手続きは一度だけで
資産形成がはじまる

まとめ	☐ 購入対象となるのは投資信託（とETF）のみ
	☐ 定期的な購入の頻度は基本「毎月」
	☐ クレジットカードなら引き落としミスがなくポイントも

成長投資枠で買うときの流れ

好きなタイミングで株式、投資信託、ETFを購入

成長投資枠では**株式、投資信託、ETF**などが広く購入対象です。また自分の好きなタイミングに購入することができます（成長投資枠で、つみたて投資枠のように定期積立することも可能）。

ここでは株を買う一般的なケースを紹介しましょう。

個別株はリアルタイムで値動きすることが大きな特徴です。注文の価格や量を表示する仕組みを**「板」**といいますが、価格が点滅しながら売買が成立し株価が変化していく様子を見ると、経済のダイナミズムを実感できます。

購入する企業名（銘柄）と購入する株数（国内は100株単位）を決めたら、大きく分けて2つの注文方法があります。

成行注文（なりゆき）：価格を指定せず、注文がそのまま市場の成約条件で通る（注文時にはいくらで購入できるか分からない）

指値注文（さしね）：購入したい価格を指定し、注文を出す。自分より高い価格で購入希望をする人があればそちらが優先されるため、必ず購入できるとは限らない。すぐ成立しないこともある。

いずれの注文でも、成約したら証券会社からそのむねの連絡（多くはメール対応）が届きます。実際にいくらで購入できたかはメールやWEB、アプリなどで確認することができます。

成行注文については、市場が開いたら（朝9時）すぐに購入するような注文の方法があったり、指値注文については今日成立しない場合は翌日以降も注文を引き継ぐような設定があったりします。詳しくは証券会社などのホームページの解説を確認してみてください。

入金から注文までの流れ

■株(ETF)を買う場合の流れ

入金を行う

► 指定された口座に入金を行う

▼

注文を出す

► 銘柄を指定する
► 購入株数を指定する（日本株の単元株は100）
► 注文方法を指定（成行、指値）
► 執行条件を指定（本日中、今週中、寄付など）

▼

注文が成立（約定）

► 売り手と買い手の取引価格が合えば注文は約定される
► 約定の連絡がメールもしくはWEB画面などで確認できる

成行注文（買い）は価格を指定せずに注文するので、一番安い売り注文を、優先して売買が成立します

指値注文（買い）は購入価格を指定できますが、より高い買い注文がほかにあればそちらを、同価格なら先に注文されたほうを優先して売買が成立していくので、すぐ買えるとは限りません

まとめ	
	□ 成長投資枠では株式、投資信託、ETFなどが購入対象
	□ 個別株はリアルタイムで値動きする
	□ 個別株の注文方法には成行（なりゆき）注文と指値（さしね）注文がある

NISAはどのように売るのか

証券市場が開いていればいつでも売却ができる

NISAで保有する金融商品は、証券市場が開いていれば売却ができるものがほとんどです。**つまり営業日（平日）であれば、売ることができます**。

投資信託については、売却（解約）する口数か金額を指定し売却の注文を出します。基準価額は1日に1度変わりますが、**売却時に確認できるのは前営業日の基準価額**になります（つまり、いくらで売れたかは注文時には確定していない）。いくらで成立したかはメールあるいはWEB画面などで確認することができます。

株式やETFについては、購入時の説明とほぼ同様で、**成行もしくは指値で注文を行います**。成行で注文すれば、その場で成約します（あなたが売った株に、買い注文があった場合）。指値注文の場合は、当日に成約せず翌日以降に持ち越されることもあります（持ち越す選択をした場合。注文をキャンセルとすることもできる）。

いずれも、**実際の売却金額の受け渡しには日数がかかります**。株式の場合、約定日の翌日から2営業日がかかります（日本株で楽天証券の場合）。投資信託の場合は、商品によって異なり、1週間以上かかる場合もあります。特に外国の市場で投資をしている投資信託の場合などは日数がかかることに注意が必要です。

売却代金はいきなり銀行口座に入るわけではありません。たとえば証券会社の場合であれば、NISA口座から証券口座のほうに売却された金額が入金され、現金を受け取る場合は、証券会社から出金の手続きをします（数日かかる場合もあります）。

金融商品の売却の流れ

■ 株(ETF)を売る場合

売り注文を出す（成行、指値） ▶ 約定日　約定（注文成立）する ▶ 受渡日　2営業日後に売却代金が受け渡される

■ 投資信託を売る場合

申込日　売却（解約）の注文を出す ▶ 約定日　当日、または翌日以降に売却が成立する ▶ 受渡日　2営業日後以降に売却代金が受け渡される

■ 出金はさらに手続きをする

証券会社などに出金手続きをする ▶ 各社のルールに従い出金される ▶ 銀行口座で売却金額を受け取る

まとめ

- ☐ 投資信託は売却する口数を指定し売却の注文を出す
- ☐ 株式やETFは成行もしくは指値で注文する
- ☐ 実際の売却金額の受け渡しには日数がかかる

確定申告（税金の手続き）は必要か

NISAで売却した資産は税務処理も不要

NISA最大の魅力が非課税で運用できることであるのは、もうみなさんも理解されていると思います。しかし、税務上の手続きを怠って、税務上のペナルティを受けることになっては困ります。

個人の所得については1月～12月の状況を確定申告し納税額を確定させることになっています。翌年2月16日から3月15日まで確定申告期間となっており、この期間に手続きをします。NISAの税務上の手続きはどうなるのでしょうか。

NISAは、あらかじめ税務署に本人確認を行うことで口座開設となりますが、この段階で、税務署と証券会社などとのあいだでNISA口座内での売却が非課税であることの確認が完了しています。

つまり、NISAで売却した資産については全額が手元に残るのは当然として、その処理が行われた段階で**税務処理も不要**という扱いになります。個人が特段の手続きを行う必要はありません。

ちなみに、証券総合口座を持っている場合は、NISA外の取引について売却時に源泉徴収（税金をそのつど引いておく）を行い、証券会社に納税を代行してもらうことができます（「特定口座（源泉徴収あり）」の場合。それ以外は確定申告が必要）。この場合も、確定申告が不要です。

ただし、損失が出た場合、ほかの利益と合算して年間の総利益に対して課税をしてもらうことができ、この場合は確定申告をして還付金を受けることになります。**NISAは利益が出た場合のみ、それを非課税とする考え方なので損益通算の考え方がありません。**

確定申告の手続きが不要になる

■ 通常の税金の手続き（源泉徴収なし、損益通算）

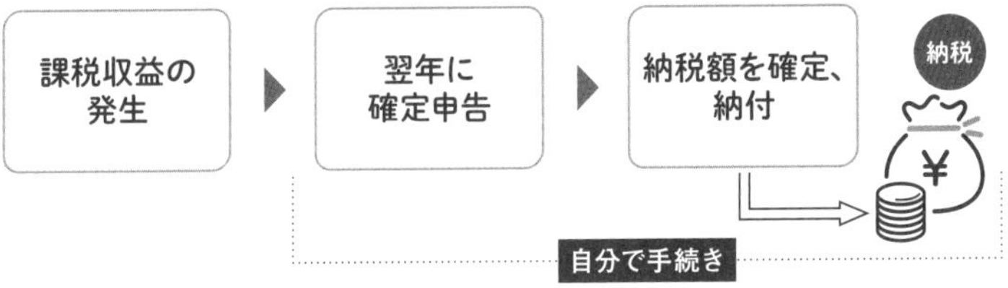

■ 通常の証券口座の手続き（源泉徴収あり）

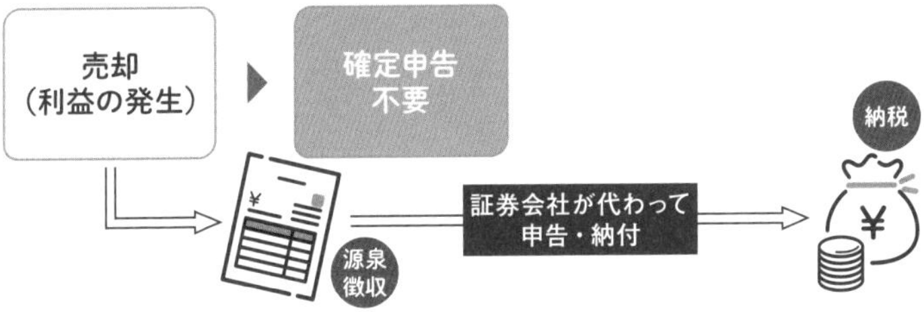

■ NISAの場合

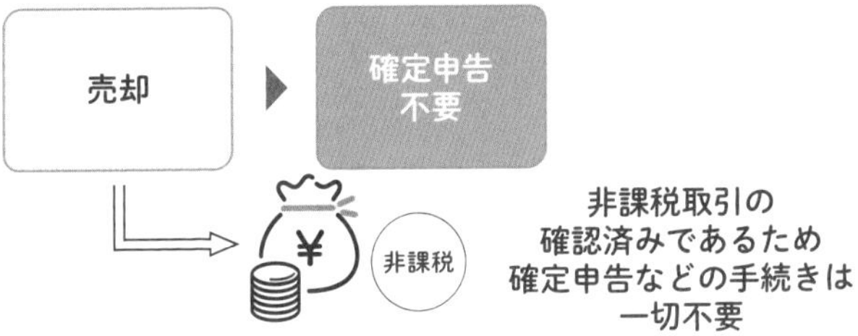

まとめ

- ☐ 投資の収益、本来は自ら確定申告して納付が必要
- ☐ 源泉徴収あり証券口座なら面倒な手続きは不要になる
- ☐ NISAで売却した資産の税務処理は一切不要

Column

ウェルビーイングな投資術

近年、ウェルビーイングという言葉がブームとなっています。ウェルビーイング（よい状態＝well-being）は、幸福と訳されることの多い概念ですが、もう少し幅広く幸せを捉えています。

たとえば、選択の自由がある人はそうでない人よりウェルビーイングが高い人です。仕事において自分の裁量の余地（時間配分や業務内容など）がある人とそうでない人は確かに選択の自由がある人のほうが幸せでしょう。

モノの消費よりも、コト消費の時代と言われていますが、経験や感動への消費は長続きし高いウェルビーイングを得られます。ロレックスの腕時計の満足度は一瞬ですが、家族旅行で流星群を一緒に眺めた記憶や感動は何十年も私たちを幸せにしてくれます。

同じような視点で、投資も心地よいもの、ウェルビーイングなアプローチだと考えてみることをおすすめします。ズルいことをしてお金が増えるのではなく、投資企業が社会の役に立ち世の中を便利で豊かなものとした見返りとして企業が成長、株価も上昇すると考えてみましょう。投資は悪いことと考えない（むしろいいこと!）、それだけであなたのウェルビーイングは高まります。

とはいえ、銘柄選定にウェルビーイングを介入させすぎる必要はありません。特に本業以外での社会貢献活動に目を向けすぎて、本業での企業評価を後回しにしないようにしてください。

NISAは長期投資を促す仕組みです。今すぐ使わない資金が、投資を通じて社会の発展や成長に役立ち、結果として未来のあなたが経済的に豊かになる。そんなサイクルを意識してみましょう。

Part 4

投資信託による資産運用

投資信託とは

少額で多くの銘柄に投資でき、運用会社に任せる

NISAで資産形成を行う際、必ず活用したい金融商品は投資信託です。投資信託という仕組みは、まだ日本人にはなじみが薄いかもしれません。しかし世界的には資産形成の重要な選択肢となっています。たとえばアメリカの会社員は1人あたり10万ドル（1ドル150円とすれば1500万円）以上の401(k)プランの残高を持っているそうですが、そのほとんどが投資信託です。投資先進国といっても、個別株の売買を誰もが行うわけではないのです。

投資信託の仕組みは簡単です。**1人ひとりは少額の資金を出しあい、大きなひとまとめのお金（ファンドという）を組成し、運用会社の担当者がこれを運用**します。運用の方針や投資対象、手数料などはあらかじめ開示されており、自分の好みの投資信託を選んで購入することができます。運用の値上がりも値下がりもすべてが個人にフィードバックされ、運用会社などはあらかじめ定めた手数料だけを受け取る仕組みです。これをまとめると、投資信託は、

- **少額から投資できる**
- **少額で多くの銘柄などに投資できる**
- **運用の詳細はお任せできる**
- **値上がりはすべて自分のもの**

という仕組みです。これは個人が資産運用するために便利な選択肢です。1株10万円単位、といわれれば、そうそう簡単に投資ができませんが、世界中の株に100円から投資できる、となれば積立の定期預金を行うような感覚で投資ができ、ハードルはぐっと下がります。NISAといえば個別株投資の印象がありますが、投資信託の活用が重要になってきます。

投資信託のしくみ

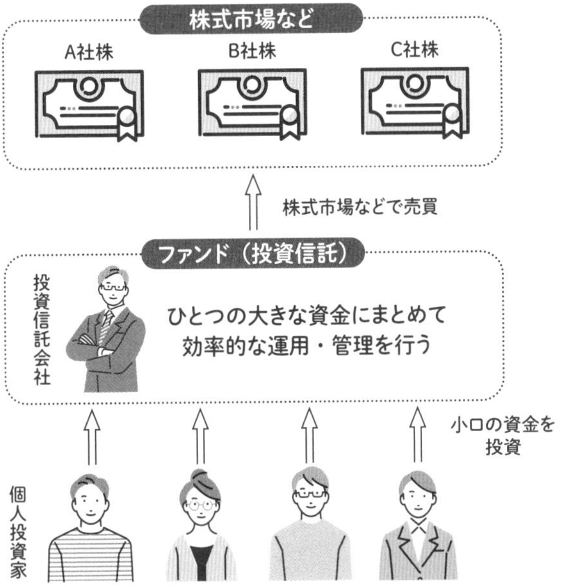

投資信託のメリット

1 少額から投資できる!

► 実は100円から購入可能（金融機関による。数千円からの場合も）

2 簡単に分散投資できる!

► 1つの投資信託でたくさんの会社に投資ができ、世界中に投資することも可能

3 手数料はあらかじめ確認できる!

► 運用方針、手数料は事前チェックできるので納得できるものを選ぶことができる

まとめ

- ☐ 投資信託は少額から投資でき、運用もお任せできる
- ☐ ひとつの投資信託で多くの銘柄などに投資ができる
- ☐ 運用手数料はかかるが値上がりはすべて自分のもの

投資対象で投資信託はまったく違う

株式と債券、国内か海外で4つの投資対象

ひとくちに投資信託といっても、その運用先は多種多様です。たとえば投資をする対象が「日本の株」「外国（先進国）の株」「外国（新興国）の株」「国内外の株」「不動産投資」「金」という投資信託が6本あったとしたら、値動きはまったく違ってきます。これを**「投資対象（アセットクラス）」**といいますが、自分がどの投資対象で投資をしたいかしっかり考え投資信託を選ぶことが大切です。

投資信託は必ず投資対象や運用方針を開示し、その運用方針にもとづき運用を行います。自分が買った投資信託がいつのまにか望まない運用をされていた、ということはないわけです。

代表的な投資対象としては**「株式」と「債券」があり、「国内」か「海外」かで大きく４つの投資対象があります。これに「不動産投資（REIT）」や「金等の実物資産」などが加わったり、海外の投資対象を「先進国」と「新興国」に分けたりします**。

同じ投資対象でも、日経平均株価やTOPIXのような市場の平均値を堅実に得ていくタイプの投資信託**（インデックス運用）**や、独自の視点で市場の平均を上回る成績を目指す投資信託**（アクティブ運用）**もあります（P.66参照）。

近年、人気の投資信託は、国内と海外の株式、海外は先進国も新興国もひとまとめに投資するタイプのもので**「オールカントリー」**のような名称がついています（詳しくはP.68参照）。

また、1つの投資信託が複数の投資対象を同時に投資することもあります。これをバランス型の投資信託といいます（P.64参照）。

投資信託を選ぶときは投資対象を確認する

代表的な4つの投資対象

先進国と新興国で分けることもある

国内の株式	外国の株式
国内の債券	外国の債券

代表的な投資対象は「株と債券」「国内と海外」で４種類ある

＋

新たな投資対象

- 不動産投資（REIT）
- コモディティ（金等）
- そのほかの運用対象

まとめ

- □ 投資対象は株式と債券、国内か海外かで大きく4つ
- □ さらに不動産投資（REIT）や金などの実物資産もある
- □ 堅実な値動きのインデックス運用、好成績を目指すアクティブ運用も

投資信託のコストはどう払うか

運用を運用会社に任せるため手数料がかかる

投資信託は、実際の運用の詳細を運用会社（とそこに所属するファンドマネージャー）にお任せすることができます。お任せする以上は何らかの手数料を払う必要があります。

投資信託においては「購入時」「保有期間中」「売却（解約）時」に所定の手数料を引かれることがあります。

「購入時」には購入した投資金額に一定率をかけたものを販売時手数料として徴収されることがあります（購入時手数料）。ただしつみたてNISA用の投資信託についてはこれが無料となるものしか対象となっていないので、この場合の購入時の手数料はゼロになります（**ノーロード**という。成長投資枠用の投資信託の場合、かかることもある）。

「保有期間中」には信託報酬（運用管理費用）という手数料がかかります。これは資産残高から内枠で引かれているので意識することはありませんが、運用の値動きにかかわらず必ず引かれる実費ですから、水準が適切であるかよく見極める必要があります。つみたて投資枠用の投資信託についてはローコストであることを選定基準の要件としており、低コストの投資信託が対象となっています。

「売却（解約）時」には**信託財産留保額**という手数料を引かれることがあります。これは株式などを売却して現金化、出金するような事務手数料にあたります。ただしこちらも徴収しない投資信託が最近では増えています。こうした手数料は、あらかじめ開示されており、それ以外の手数料を無断で引かれることはありません。

● 投資信託でかかる費用

購入時点	購入時 手数料

**0% が多いが
2% 以上とることもある**

▶ 購入時に購入金額に応じて「別途」徴収される
▶ 近年はノーロード商品（無料）が増えている

▼

運用 期間中	運用管理費用 （信託報酬）

0.00X 〜 3.XX% まで幅広い

▶ 運用に関する実費や事務コストなどを日割で「内枠」で徴収する
▶ 運用対象、運用方針などに応じて個別に設定される
▶ 近年は価格引き下げ競争により低下傾向にある

▼

売却（解約） 時点	信託財産 留保額

**0% が多いが
0.X% 程度とることもある**

▶ 売購入時に購入金額に応じて「内枠」で徴収される
▶ 近年は引かれない投資信託も多い

手数料はすべて
あらかじめ開示されているので
納得できるものを
選びましょう

まとめ	☐ NISA用の投資信託は販売手数料が基本的にゼロ ☐ 保有期間中には信託報酬という手数料がかかる ☐ 売却（解約）時には信託財産留保額という手数料を引かれることも

単体の投資対象での投資、バランス型の投資

1つの投資信託は1つの投資対象を選択する

ひとくちに投資信託といってもどんな対象で投資をしているかはさまざまです。投資対象や運用方針を選ぶことができると説明しましたが、**多くの場合、1つの投資信託は1つの投資対象を選択します**。たとえば「国内の株」を投資対象に掲げた場合、それ以外の投資対象に手を出すことはありません。たとえファンドマネジャーが外国株が安いと思っても勝手に投資することはできないのです。

私たちは自分が投資したいと考える投資対象を選び、その投資対象で運用する投資信託を探す、という手順で好みの投資信託を見つけることになります。

ところが、1つの投資信託が複数の投資対象で運用することができないかというとそうではありません。あらかじめ運用方針として複数の投資対象を組み入れることを掲げている場合もあります。こうした投資信託を一般的には**バランス型ファンド**といいます。

たとえば国の年金運用と同様の運用を行う投資信託というものがあります。これは**「国内株、外国株、国内債券、外国債券」**という4つの投資対象を組み合わせて運用しています。この場合、1つの投資信託だけを保有していれば、4つの投資対象をカバーしたことになります。複数の投資対象で運用をするバランス型ファンドは、その保有割合について運用計画において定めます。たとえば「40：25：25：10」のような方針を掲げて、それぞれの投資対象の保有割合を調整します。一般的には株式保有比率を踏まえて、3種類ほど設定（安定型、中間型、積極運用型のように）されることが多いです。

複数の投資対象を組み入れられるバランス型ファンドも

単体の投資対象で運用される投資信託を活用した投資

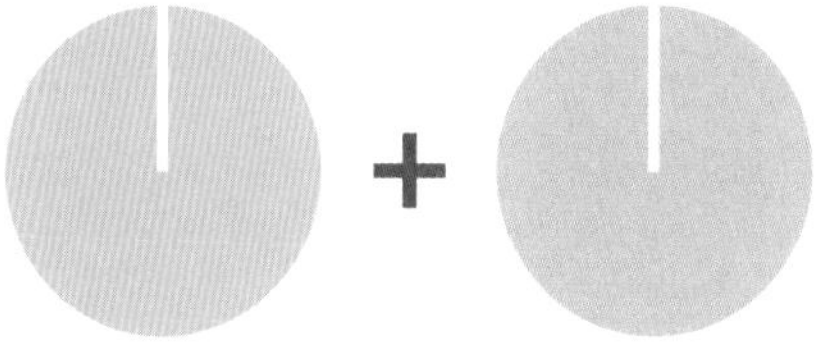

日本株式 100% で
運用する投資信託

外国株式 100% で
運用する投資信託

必要に応じて複数本の投資信託を購入する
（でもちょっと大変）

バランス型投資信託の例

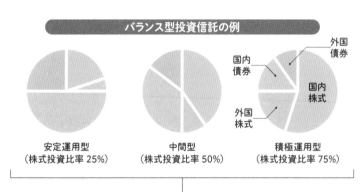

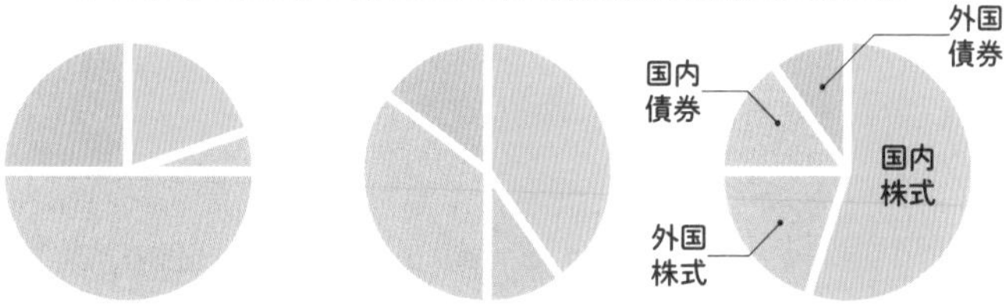

安定運用型
（株式投資比率 25%）

中間型
（株式投資比率 50%）

積極運用型
（株式投資比率 75%）

複数の投資対象を 1 本で投資でき、あらかじめ決めた投資割合で運用をしてくれる
（一般的には手数料はやや高い）

※ 資産配分と実際の保有割合がズレた場合、元の資産配分に合わせて調整をしてくれる（これは投資信託内の売買なので、個人投資家にとっては NISA で商品を売ったものには該当しないメリット）

まとめ

- □ バランス型ファンドはあらかじめ複数の投資対象を組み入れる
- □ 国の年金と同じ運用なら国内株、外国株、国内債券、外国債券の組み合わせ
- □ 3種類ほど設定（安定型、中間型、積極運用型など）されることが多い

インデックス運用、アクティブ運用

インデックスは市場の平均を表す指標

投資信託の名前をみていると「○○インデックス」のような名前を見かけることが多くあります。

インデックスとは、市場の平均を表す指標のことです。日本の株価では**日経平均株価（225種）とTOPIX（東証株価指数）**が有名です。アメリカでは**NYダウ、S&P500総合指数、ナスダック**などの指数があります。

こうしたインデックスとほぼ同等の値動きをするのがインデックス運用と呼ばれる投資手法で、そうした手法を採用している投資信託を**インデックスファンド（投信）**といいます。

インデックス運用のよいところは、**シンプルに指数と同じような運用を行うため、値動きが分かりやすい**ことです。ニュースにもよく出る情報なので値動きをチェックしやすくなります。また、運用もシンプルであるため低コストでの運用が可能になります。

これに対して、**市場の平均値であるインデックスを上回る実績を目指すのがアクティブ運用**と呼ばれるものです。優良な企業の選別眼をうたうもの、割安株、成長株のような着眼点を示すもの、半導体やAI、女性活躍のようなトレンドに着目して運用をするものなどさまざまです。一方で必ずしもインデックスを上回る成績とは限らないこと、またどうしてもインデックス運用よりは運用コストが高くなってしまうことに注意が必要です。

投資信託を選ぶときには投資対象をチェックするとともに、インデックス運用かアクティブ運用かを確認するようにしましょう。

インデックスを上回る実績を目指すアクティブ運用も

■ インデックス投資のイメージ

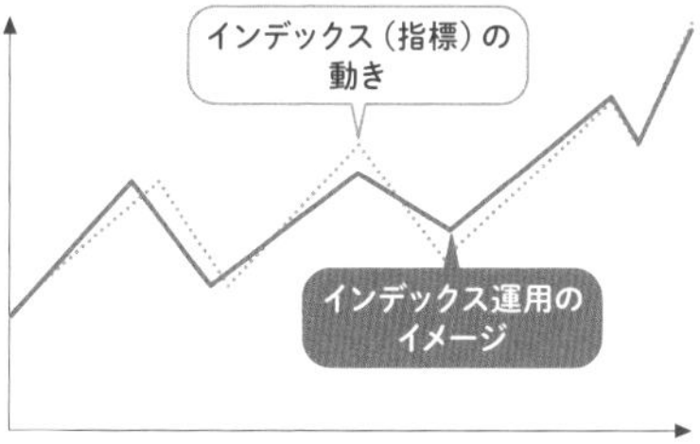

- 市場の平均（インデックス）とほぼ同等の運用成績を目指す
- ニュースなどでよく見る指標と値動きが同等なので分かりやすい
- シンプルな運用なので低コストで、再現性は高い

■ アクティブ投資のイメージ

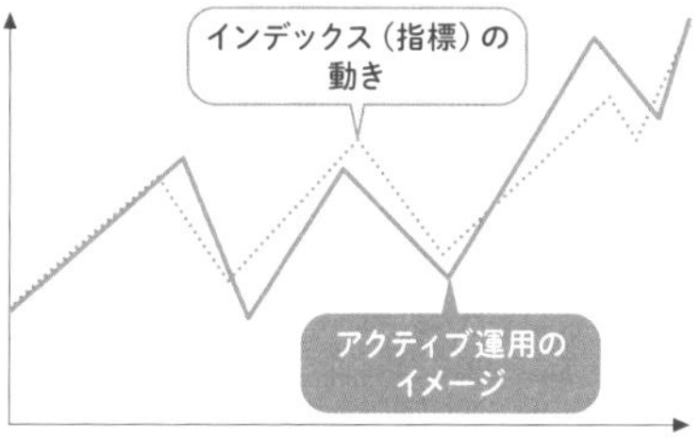

- 独自の着眼点にもとづき、インデックスを上回る運用成績を目指す
- 必ずしもインデックスに勝てるとは限らない
- 独自の取り組みを行うため運用コストは相対的に高くなる

まとめ

- ☐ インデックスファンド（投信）は市場とほぼ同等の値動きで運用
- ☐ インデックス運用は値動きが分かりやすく低コストでの運用が可能
- ☐ アクティブ運用はインデックスを上回る実績を目指す

近年人気の高い「オルカン」とは何か

国内外の株式をひとまとめに投資する投資信託

近年、注目を集めている投資信託のキーワードに**「オールカントリー」**というものがあります。日本で最大規模の投資信託のひとつである**「eMAXISSlim 全世界株式（オールカントリー）」**は約3兆円の資金を集めた大型の投資信託となっています（以下、オルカン）。

これは、国内の株式と海外の株式をひとまとめに投資することができる投資信託です。世界中の株式を時価総額の比率にもとづき、アメリカ、欧州、日本などの先進国23カ国、アジアや中南米などの新興国24カ国に投資をします（MSCI オール・カントリー・ワールド・インデックスというインデックス指標を用いる）。

従来は国内株のみ、外国株のみ、という投資信託設定が主流であったので、世界中の株式に投資をしたい場合、2つの投資信託を組み合わせる必要がありました。**オルカンを活用すれば、ひとつで世界中の株式へ投資をできる魅力があります**。

また、先進国だけでなく新興国にも投資をすることになるので、台湾やインド、中国などで発展する未来の成長企業にも資産を振り向けることができます。

ただ、株式の時価総額比率でみると**米国株式が圧倒的で全体の6割をも占めています**。また日本の株式市場も5.5%くらいにしかなりません。追加で日本株で運用する投信を買うのも選択肢です。

世界の経済全体は長期的に強い右肩上がりで成長しています。一方で短期的な市場の急落を何度も経験しています。オルカンなら必ず確実に増やせるというわけではありませんので注意してください。

世界中の株式に投資するオールカントリー

今まで

**世界中の株式に投資をしたい場合、
今までは2本以上の投資信託を買う必要があった**

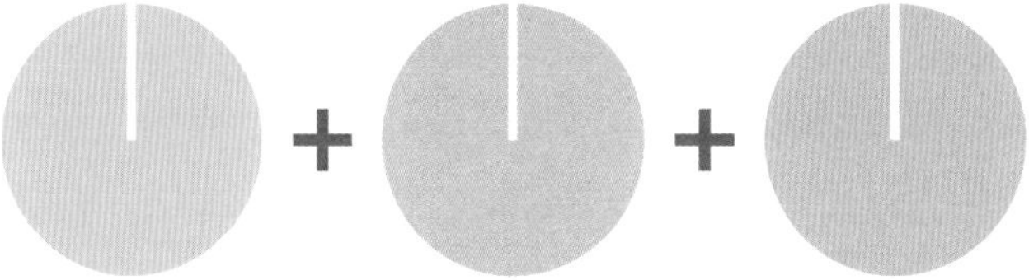

日本株式 100% で運用する投資信託 ＋ 外国株式（先進国）100% で運用する投資信託 ＋ 外国株式（新興国）100% で運用する投資信託

3本の投資信託を購入すると世界中の株に投資できる
（でもちょっと大変）

今は

オルカン一本で世界中の株式に投資ができる

世界中の株をすべて、時価総額比で保有したのと同等の運用が投資信託一本でできるのが「オルカン」商品

1本で世界中に投資ができる

※ 低コストで運用できることも魅力
※ 時価総額比なので日本株は 5% 程度と低い

まとめ

- ☐ 日本最大の投資信託は「eMAXISSlim全世界株式（オールカントリー）」
- ☐ オルカンを活用すれば、ひとつで世界中の株式へ投資をできる
- ☐ 短期的な市場の急落に注意。オルカンなら確実というわけではない

投資信託は何本買ってもいい

必ず1本の投資信託で投資する必要はない

ネットでNISA活用術などを検索すると「○○一択!」のような記事が目につきます。人気なのは事実ですし、世界中に分散投資されるオールカントリーで全額投資することも選択肢ですが、必ず1本の投資信託で投資するという決まりはありません。

「オールカントリーだと日本株への投資比率が低いので、日本株で投資する投資信託も買いたい」と思うなら、**「オールカントリー+日本株インデックス」**で投資信託を2本持つことも考えられます。

アクティブ運用を行う運用会社やファンドマネジャーのインタビューを見て感銘を受けたので、**「オールカントリー+日本株アクティブ」**のような組み合わせをする方法もあります。「不動産投資(REIT)」などを組み入れてみるような選択肢もあります。

複数のファンドを気軽に組み合わせることができるのは、投資金額が少額で購入できる投資信託ならではのメリットです。個別株で投資をすれば、資金の問題で分散投資は難しいものでした。たとえば5社の株を買い集めるだけで500万円以上かかっては簡単に分散投資をすることができません。しかし、**投資信託の場合、1本で銘柄分散が発揮できるだけではなく、金額をほとんど気にせず好きな割合、好きな本数で投資信託を組み合わせることが可能**です。

あまりたくさん保有すると管理が煩雑になってしまいますが、自分の好みのブレンドのコーヒーを探すような気持ちで、メインの投資信託に数本の投資信託を組み合わせてみるのもまた投資の楽しみのひとつでしょう。

数本の投資信託を組み合わせて運用

1 銘柄の分散

投資信託によりたくさんの企業に同時に投資ができるようになる

2 地域の分散

日本だけでなく、先進国や新興国など世界に幅広く投資をしてみる

1本だけ買うのではなく、複数の投資信託を組み合わせてみる

3 投資対象の分散

株式、債券、不動産投資などひとつの投資対象に偏らない運用をしてみる

4 異なる運用方針

インデックス運用だけ、アクティブ運用だけと決めず異なる運用方針でも投資してみる

まとめ	
	☐「オールカントリー＋日本株インデックス」など組み合わせもできる
	☐ 不動産投資（REIT）などを組み入れてみるような選択肢もあり
	☐ メインの投資信託に数本の投資信託を組み合わせてみるのもよい

投資信託の選び方、組み合わせ方

▶証券会社などのサイトの絞り込み機能を活用

投資信託選びに悩んだとき、自分に合う投資信託はどう選べばいいでしょうか。証券会社などのサイトにアクセスすると絞り込み機能が用意されています。

たとえば、**「投資対象（国内株か外国株かなどをみる）」「投資方針（インデックスかアクティブか）」「運用手数料（できれば低いほうがいい）」**などで検索してみるとたくさんの選択肢から一気に候補を絞り込むことができます。

その投資信託が支持されていて安定的に成長しているかをみたいのであれば、**「純資産総額（資産規模が大きいほど効率的な運用が期待でき、また運用の終了もされにくい）」「資金の流入状況（安定的に積立投資の新規購入が行われている目安となる）」**のようなキーワードにも着目し検索してみましょう。

一方で、「人気のファンドランキング」とか「直近の運用成績ランキング」のようなものは、短期的な変動が大きいことがあり注意が必要です。たとえば米国株だけが大きく上昇している時期に成績ランキングをみれば、米国株に投資する投資信託だけがランクインしますがそれは当然のことです。異なる投資対象について背比べをすることはあまり意味がありません。

比較検索においては、**投資信託の評価会社のサイト**もあります。

なお、つみたて投資枠で購入できる投資信託は、長期投資に合わせた設定であり低コスト運用が条件となっており、個人投資家に使いやすいものとなっています。

証券会社のサイトの絞り込み機能を活用する

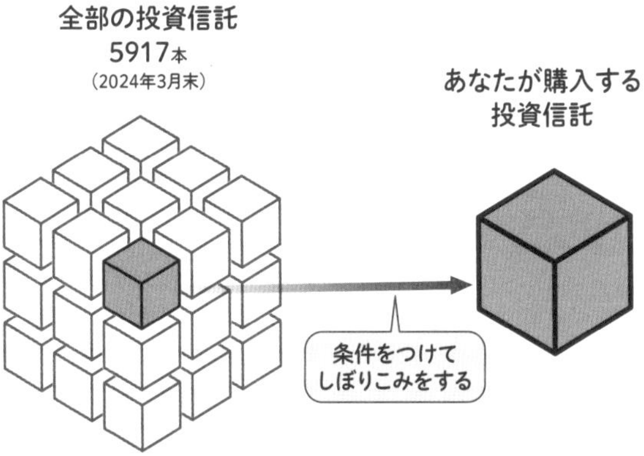

証券会社などのホームページ
投資信託の比較検索サイト
◎Yahoo!ファイナンス（ウェルスアドバイザー）
◎日本経済新聞 投資信託サーチ（QUICK）など

【投資対象】	国内株か外国株かなどをみる
【投資方針】	インデックスかアクティブか
【運用手数料】	できれば低いほうがいい
【純資産総額】	資産規模が大きいほど効率的な運用が期待でき、また運用の終了もされにくい
【資金の流入状況】	安定的に積立投資の新規購入が行われている目安となる
つみたて投資枠の対象商品か	

まとめ

- ☐ 比較検索においては、投資信託の評価会社のサイトもあり
- ☐ 人気度や直近の運用ランキングは注意が必要
- ☐ 成長性を見るなら「純資産総額」「資金の流入状況」などの検索も

投資信託：基準価額のしくみ

異なる投資信託は基準価額同士を比べても意味がない

投資信託の購入にあたって、わかりにくいのがその「値段」です。**投資信託の値段に相当するのは基準価額と呼ばれる**ものですが、この数字、比べられない数字になっています。

日本株で運用するA投信が基準価額11000円で、世界株で運用するB投信が基準価額12000円だったとします。普通は「B投信のほうが20%高い投資信託である」「B投信のほうが20%優秀な投信でしょう」というイメージを抱きます。しかしこれは間違いです。

投資信託の基準価額はその投資信託が抱える純資産額を総口数で割ったものです。「その投資信託だけ」を見るときは上昇率などを評価することができます。多くの投資信託は基準価額10000円(1万口)から運用をスタートしますので、基準価額がこれより高いということは運用を通じて資産価値が増えていることがわかります。

しかし、異なる投資信託はそれぞれの設定日（スタートライン）が異なりますから、基準価額同士を比べても意味がありません。運用開始から3年たったA投資信託と、5年たったB投資信託が仮に基準価額が同じであっても運用のよしあしはわからないのです。

それでも基準価額は重要な役割を果たします。積立投資をする場合、毎月一定額を投資に回しますが、**「購入金額÷基準価額」**で計算することで毎回の購入口数を決められます（基準価額が1万口相当の場合さらに10000を掛ける)。個別株を毎月購入する場合、値動きするたび購入金額が上下動しますが、基準価額と口数の仕組みがあるため、投資信託は一定金額で毎月自動的に購入できるのです。

「純資産総額÷総口数」が基準価額となる

■ 基準価額とは

$$\frac{\text{純資産総額}}{\text{総口数}} = \text{基準価額（10000口の価格）}$$

■ 違う投資信託の基準価額は比べない

A投資（日本株）	3年前に運用開始（基準価額10000円） ⇒	基準価額 11000円
B投資（世界株）	5年前に運用開始（基準価額10000円） ⇒	基準価額 12000円
投資対象が違う	運用期間が違う	今の基準価額だけを比べても意味がない

■ 積立投資は基準価額のおかげで「定額」購入できる

毎月1万円ずつ
積立投資したい

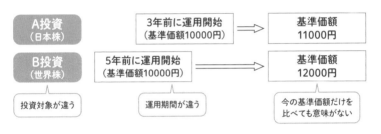

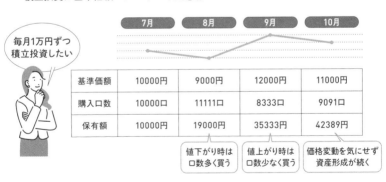

	7月	8月	9月	10月
基準価額	10000円	9000円	12000円	11000円
購入口数	10000口	11111口	8333口	9091口
保有額	10000円	19000円	35333円	42389円

値下がり時は口数多く買う

値上がり時は口数少なく買う

価格変動を気にせず資産形成が続く

まとめ

- ☐ 投資信託の基準価額は純資産額を総口数で割ったもの
- ☐ 異なる投資信託は設定日が違うから基準価額同士を比べない
- ☐ 積立投資なら、「購入金額÷基準価額」で自動的に購入できる

つみたて投資枠をまず使う

「つみたて投資枠の活用」「投資信託の購入」が前提

購入を検討したい投資信託が見つかり、それがつみたて投資枠の対象であれば（長期投資に適してない投資信託はつみたて投資枠で購入できない）、まずはつみたて投資枠の活用からはじめましょう。

すでに何度か説明をしてきたとおり、NISA口座の1800万円の非課税投資枠を満額使い切るためにはつみたて投資枠を600万円以上使うことが必須です。成長投資枠は1200万円以内に納めなければならないという制約があるからです。

これはつまり、**新NISAにおいては「つみたて投資枠を活用すること」「投資信託の購入」が前提となっている**ことを意味します。

NISAの活用にあたっては、誰でも必ず、つみたて投資枠での積立投資を設定しておきましょう。つみたて投資枠が年120万円ありますから、積立金額の上限が月10万円です。もし月10万円の積立をしたとすれば、5年かければ600万円が埋まることになります。

といっても、月10万円という上限を気にする必要はありません。普通の人は**月数万円程度の積立投資を行い、それをつみたて投資枠でコツコツと継続していけばOK**です。積立の定期預金を銀行で行うように、無理のない金額を設定し、つみたて投資枠を少しずつ埋めていきましょう。

もちろん、600万円を超えて、1800万円のすべてをつみたて投資枠の投資信託で埋めてもかまわないのです。

まずはつみたて投資枠の活用からはじめよう

NISA枠 1800万円まで（購入時の価格で）

成長投資枠での買付
1000万円

＋

つみたて投資枠での買付
800万円

○

► 成長投資枠は1200万円を超えない範囲で利用できるため
つみたて投資枠の活用は必須

NISA枠 1800万円まで（購入時の価格で）

成長投資枠での買付
1800万円

×

► 成長投資枠だけで1200万円を超える投資はできない

↓

対策①
必ず積立投資信託をつみたて投資枠で購入する

対策②
つみたて投資枠の購入分はできるだけ売らない

まとめ

- □ 成長投資枠は1200万円以内に納めなければならない
- □ つみたて投資枠を600万円以上使うことがフル活用には必須
- □ 必ずつみたて投資枠での積立投資を設定しておく

家計を見直し、定期的な定額積立をしよう

毎月積立するお金を確保すること

投資信託を活用した積立投資についてここまで説明してきましたが、NISA 活用においては株価水準や投資対象よりも重要なことがもうひとつあります。

それは**「毎月積立するお金を確保すること」**です。

積立の投資信託を銀行口座の自動引き落としで設定していたとしても、そもそもその残高が銀行口座になければ積立ははじまりません。クレジットカードからの引き落としをしたとしても、その金額を引き落とし日に支払わなければなりません。

そうなると日々の家計を見直し、NISA へ積み立てていく金額分を節約で確保しなければなりません。できれば**すでに行っている定期預金の積立などはそのままにして、投資向けの積立額を別途確保できると理想的**です。そうすると全体としての資産形成のスピードは高まり、また資産全体としてのリスクも落ち着きます。

資産形成に成功した人の事例をみると高い運用利回りや銘柄選択や売買タイミングの妙に目を奪われがちです。しかし、そうした人たちの多くは**「投資の原資」**を確保するために倹約を心がけているものです。また、定期的な積立を行っていたりします。

投資をするお金が定期的に確保できないという人は、家計簿アプリなどを活用し家計を見える化、節約に取り組んでみましょう。家計改善に取り組めば、月１万円以上の節約は十分に実現可能です。

投資と節約は無関係のように思えます。しかし、実は**投資の前提、第一歩となるのは「節約」**であったりするのです。

● 毎月の積立原資確保が大きな目標

【従来の投資のイメージ】

追加の入金を行わない

種銭を入金！

買い！全額

売り！全額

買い！全額

売り！全額

………

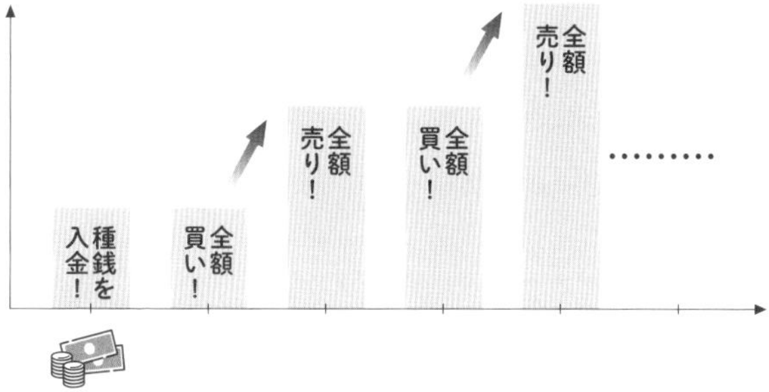

入金は一度きり

【これから投資のイメージ】

定期的な入金と運用をミックス
＝毎月の積立原資確保が重要な役割を持つ

重要になるのは「毎月節約などを
通じて、積立金を確保すること」
＝節約は投資の一丁目一番地

運用益

掛金

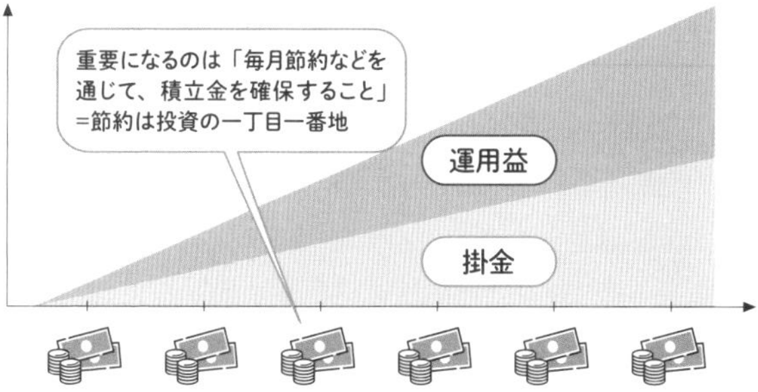

毎月の積立を行う

まとめ	☐ 家計を見直し、NISAへ積み立てていく金額分を節約で確保する
	☐ 投資向けの積立額を別途確保できると理想的
	☐ 家計簿アプリなどを活用し家計を見える化、節約に取り組む

Column

投資信託が投資の負担を大きく減らす

投資の負担をどの程度にするのか、これは一度しっかり考えたいテーマです。たとえば「毎日、朝から経済ニュースを見る」「上場企業のプレスリリースはなるべく目を通す」「新聞や雑誌のおすすめ銘柄コーナーは必ずチェックする」のようなことが負担と感じるか、楽しいと感じるかは人それぞれです。もし負担と感じない人は、個別株の投資も楽しめることでしょう。

とはいえ、投資に時間を割きすぎると、仕事やプライベートの充実に時間を割けなくなるリスクがあります。

就業時間も仕事への集中を削いで個別銘柄の投資に夢中になっている人がいますが、これは生涯賃金で考えると数千万円のマイナスになる可能性があります（仕事上で人事評価でのマイナスを受けて損をする、という意味で）。

あるいはプライベートの時間を投資に割きすぎてしまい、休息が不十分であったり家族との時間をないがしろにしてしまうことは、あまり幸福な状態ではありません。

投資に自分の時間を回すことをほどほどにしたいと思う人にとっては、投資信託の活用がカギとなります。また、長期積立分散投資を心がけることで日々のメンテナンス負担は大幅に省力化できます。

私自身も、株価をウォッチするより新作マンガを読むほうに時間を取りたいタイプなので、投資信託メインの運用をしています。

山崎元、水瀬ケンイチ共著の『ほったらかし投資術』という本が、そうしたシンプルな投資術について解説した一冊となっています。興味がある人は目を通してみてください。

Part 5

日本株による資産運用

日本株を買うとは（株価とは何か）

株は企業の資本の一部を担い、資金面で応援すること

株式会社というのは「株」によって企業の所有を分割する仕組みです。仮に10億円の資産価値があって、1000万株を発行している企業があったとして、もし500万株を保有していれば、その株主は株式の所有を通じて5億円の資産価値をもつことになります。この場合、1株あたり100円ということになりますが、実際には将来価値も含めた値付けが行われるので、市場ではそれ以上の価格で売買されることがほとんどです。

株を持つということは**企業の資本の一部を担い、企業活動を資金面で応援している**ということになります。そしてその株の保有割合に応じて、議決権を得て経営に参加する資格を得たり、配当を得る権利を得たり、解散時には資産を分与してもらう権利を得ます。

NISAで購入することができるのは上場企業の株です。まだ事業規模や経営体制が整っていないため非上場の中小企業の株、外部の資本介入を避ける目的であえて非上場にとどめている大企業の株などはNISAで購入することができません。

上場企業の発行済み株は、株式市場を通じて別の誰かに譲渡することで売買が成立していきます。

一部の企業は「上場廃止」となる場合もあります。上場を続けるには一定の要件があり、これを満たせない場合は上場を廃止しなければなりません。また、企業間のM&Aなどを通じて上場の廃止を経営的に選択することもあります。こうした場合、上場廃止まで一定期間の猶予が得られ、その間に株を売却をすることが可能です。

株式会社は株によって企業の所有を分割する

■ 会社と株主の関係

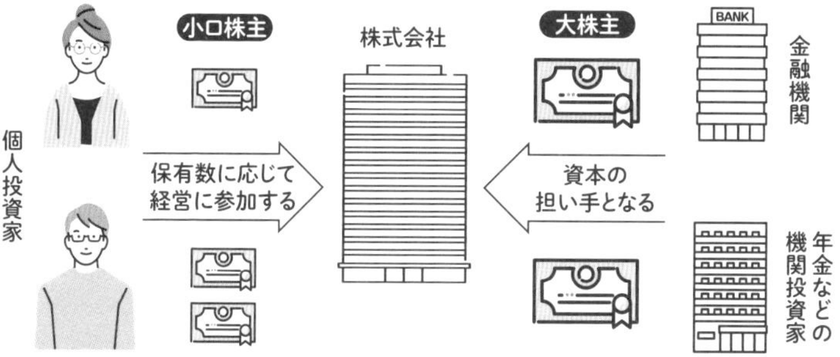

■ 株主の3つの権利

1 株主総会議決権

► 保有株式数に比例して株主総会での議決権を持つことができる

2 配当請求権

► 配当が行われる際は、保有株式数に応じて配当が行われる

3 残余財産分配請求権

► 企業が解散したときは、精算後に残ったお金を株式数に応じて分配してもらえる

■ 株式市場を通じて売買する

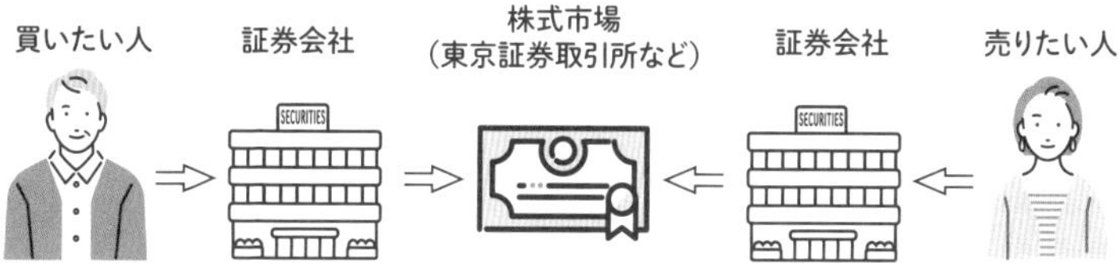

まとめ	
	☐ 株の保有割合に応じて、議決権を得たり、配当を得る権利を得る
	☐ 株の保有割合に応じて、解散時には資産を分与してもらう権利を得る
	☐ NISAで直接購入することができるのは上場企業の株

単元株のルール

日本では上場企業の株の購入単位が100株で統一されている

ニュースサイトで気になる会社の株価を調べてみたとき4000円と表記されていたとします。「4000円なら今月のこづかいを削ればすぐ買えるな!」と思うかもしれません。しかし、実際には4000円で株を手に入れることはできません。**日本では現在、上場企業の株の購入単位を100株で統一しています。これを単元株といいます**。この場合、4000円×100株=40万円が必要ということになります。

かつては小株主は株主総会を邪魔したり脅しをかける総会屋を利すると考えられており、1000株単位のように単元株を大きくしていました。今は上場企業では100株に購入単位を統一することになり、購入金額の目安をつけるのはシンプルになりました。また、近年では100株単位であっても数十万円くらいで買える銘柄が増えており、NISAの年間投資枠の範囲でほとんどの企業が投資できます。

どうしても100株分の資金を確保できない場合、1株ないし10株ずつ購入する選択肢もあります。これは証券会社独自のサービスとして、単元株に満たない株数の保有をサポートする仕組みです。**楽天証券は「かぶミニ」、SBI証券は「S株」**などと各社ごとに呼び名は異なります。一般的には手数料は割高になります(売買手数料無料とする証券会社もある)。単元未満株を買い続け、100株に達した場合は、単元株を保有する株主として取り扱われます。

単元未満株については、配当はもらえるのが一般的ですが、株主優待の対象外となります。またすべての証券会社がNISAでの単元未満株を取り扱っているわけではありません。

国内上場企業の株の購入単位は100株で統一されている

■ 株は「単元株」で買う

株価 × 100株 ＝ 購入価格

日本では100株単位で購入する（単元株）

■「単元株」未満で買う方法もある

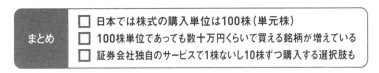

まとめ	
	□ 日本では株式の購入単位は100株（単元株）
	□ 100株単位であっても数十万円くらいで買える銘柄が増えている
	□ 証券会社独自のサービスで1株ないし10株ずつ購入する選択肢も

銘柄選びはどうやるか

証券会社のサイトほかの情報源で銘柄を絞り込む

個別企業に株式投資をしたい場合、どの会社を購入するか選ばなければなりません。投資用語では**「銘柄」選び**といいます。

国内の上場企業だけでも2148銘柄（2024年3月末）あり、絞り込みは簡単ではありません。証券会社のWEBページやアプリ、あるいはYahoo!ファイナンスのような情報サイトを活用して絞り込みをしていくことになります。たとえば、**「市場（企業規模などのルールで東証プライム市場、東証スタンダード市場などに分類）」「企業規模（時価総額を踏まえ大型株、中型株、小型株に分類）」「業種（食料品、小売業、電気機器のように業種で分かれる）」「日経平均株価225種などのインデックス採用銘柄か」**などでふるいにかけたりします。また、右図に紹介したような企業の財務指標などを分析に用いる投資指標でスクリーニングをしたりします。右に紹介した以外にも、**「時価総額」「売上高」「経常利益」「利益率」「配当実績」「配当利回り」**などなど、投資判断に用いる指標はたくさんあります。各社のWEBにある、投資家向けの情報開示も目を通してみたいところです。

できれば、企業の知名度だけに頼らない銘柄選びをしたいものです。テレビCMなどの露出度だけをみるとどうしても食品メーカーや家電メーカーばかりが目につきます。有名ではないけれど社会の縁の下の力持ちであり、業績も有望な企業を探してみてください。

雑誌や新聞では「推奨銘柄」を紹介することがありますが、こうした企業も自分なりに調べ納得してから投資をしましょう。

● 投資判断に用いる指標はたくさんある

■ 銘柄を選ぶのはなかなか大変

国内の上場銘柄数
2148社
（2024年3月末）

証券会社の絞り込み機能、投資情報サイトの機能などを活用して好みの銘柄を絞り込む

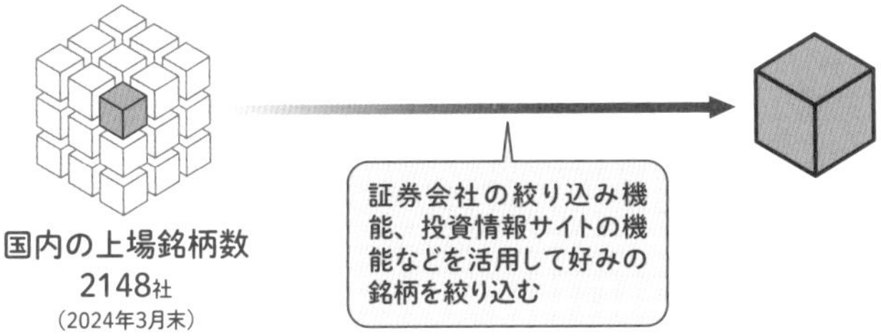

■ 銘柄のしぼりこみに使われる区分例

市場	企業規模などのルールで東証プライム市場、東証スタンダード市場などに分かれる

企業規模	時価総額などを踏まえ大型株、中型株、小型株に分類される

業種	食料品、小売業、電気機器のように業種で分かれる

インデックス採用の有無	日経平均株価225種などのインデックスに採用されているかどうか

■ 分析に使われる指標の例

PER：株価収益率

ROE：自己資本利益率

PBR：株価純資産倍率

EPS：1株あたり当期利益

そのほか、「時価総額」「売上高」「経常利益」「利益率」「配当実績」「配当利回り」など

絶対確実な指標や絞り込み方法はありませんが、人気や知名度だけではない銘柄選択を

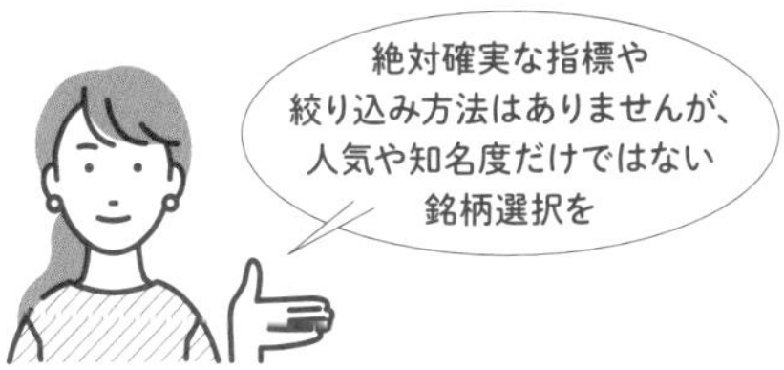

まとめ	□ 「市場」「企業規模」「業種」「インデックス採用銘柄か」等で絞り込む
	□ 企業の財務指標などを分析に用いる投資指標でスクリーニングする
	□ 株主優待や企業の知名度だけに頼らない銘柄選びをする

注文の出し方（成行、指値）

すぐに注文が成立する「成行」、約定を待つのが「指値」

買い方、売り方の基本についてはP. 48 ～ P.53で簡単に説明をしていますが、個別株の買い方と売り方について、もう少しだけ解説をします。

購入時は、「銘柄名」「購入する株式数」と「購入の方法」について指示を出します。市場でリアルタイムに株価が変動していく中、すぐに注文が約定する（複数の売り注文のうちもっとも低いものから成立）のが **「成行」注文**で、購入希望価格を指定して同じ価格の売り注文か成行の売り注文を待つのが **「指値」注文**です。指値を出した場合は、より高い指値注文を出した人、同じ価格でより早く指値注文を出した人のほうが優先され、順番待ちとなります。

中長期的な視点で購入を決断しているのであれば、目の前の数円～数十円程度の変化は気にせず成行注文で問題ありませんが、指値注文で約定を見守るのも投資の面白さです。

売却時においては、「売り」の注文を出します。株式の場合であれば、成行で売り注文を出すか、指値で売り注文を出すことになります。買い注文と同様に、成行注文が優先され、指値注文はより安い売り注文が優先、同価格では早い売り注文が優先され、順番を待つことになります。信用取引のように「売り」から入って「買い」の注文で決済をするような逆の取引は、NISA ではできません。

なお、個別株については、従来の取引時間外においても、証券会社が独自に取引を行う**時間外取引（夜間取引、PTS 取引）**の余地も広がっています。NISA で利用できる証券会社もあります。

投資信託と株式の売買注文

■ 投資信託の売買注文

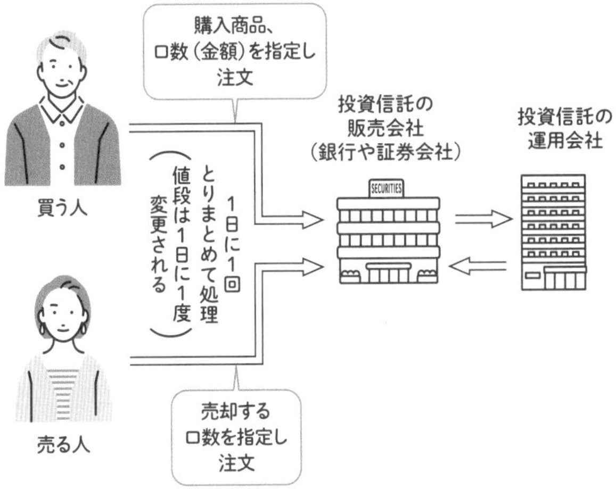
購入商品、
口数（金額）を指定し
注文
投資信託の
販売会社
（銀行や証券会社）
投資信託の
運用会社
買う人
1日に1回
とりまとめて処理
（値段は1日に1度
変更される）
SECURITIES
売る人
売却する
口数を指定し
注文

■ 株式の売買注文（成行、指値）

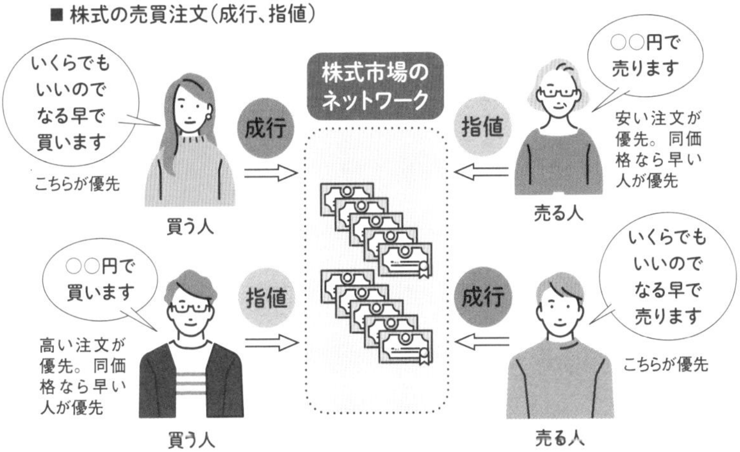
いくらでも
いいので
なる早で
買います
こちらが優先
買う人
成行
株式市場の
ネットワーク
指値
○○円で
売ります
安い注文が
優先。同価
格なら早い
人が優先
売る人
○○円で
買います
高い注文が
優先。同価
格なら早い
人が優先
買う人
指値
成行
いくらでも
いいので
なる早で
売ります
こちらが優先
売る人

まとめ	
	□ 上場株は株式市場で売買され証券会社を通じて注文する
	□ 指値注文と成行注文があり成行注文が優先される
	□ 指値注文はより高い買い注文、より安い売り注文が優先

株式投資にかかる売買手数料とは

競争激化の中、「売買手数料無料」とするネット証券会社も

株式投資にかかる手数料についても確認をしておきましょう。投資信託では購入時、保有期間中、売却時にそれぞれ手数料が生じると説明をしました。必ず生じるのは運用にかかる手数料（信託報酬・運用管理費用）で、これを保有期間中負担することは避けられません。

個別株投資においては、保有期間に応じて手数料を引かれることはありません。証券会社も投資をしている顧客に口座管理手数料を求めることも原則ありませんので、保有中はコストがかからず投資を続けることができます。そうすると売買時のコストが株式投資のコストということになります。

基本的には売買手数料、つまり**株式の購入時と売却時に手数料がかかるのが一般的**で、これは購入金額に応じて決まります（率で決めたり、1日あたりの売買額で決めるようなこともある）。

ところが、近年のネット証券の競争激化の中、**「売買手数料無料」とする証券会社がではじめています**。楽天証券とSBI証券は株式売買手数料無料を掲げています。松井証券のようにNISA内でのみ手数料無料とする戦略を掲げる証券会社もあります。

売買手数料については引き下げ競争は行われても、引き上げを行う可能性は小さいので（そうすると他社に逃げられてしまうため）、後出しじゃんけんで値上がりする心配は低いと考えられます。個別株投資を検討するなら、売買手数料が無料である証券会社を検討してみるほうがいいでしょう。

▶ 投資信託／株式の購入時と売却時にかかる費用

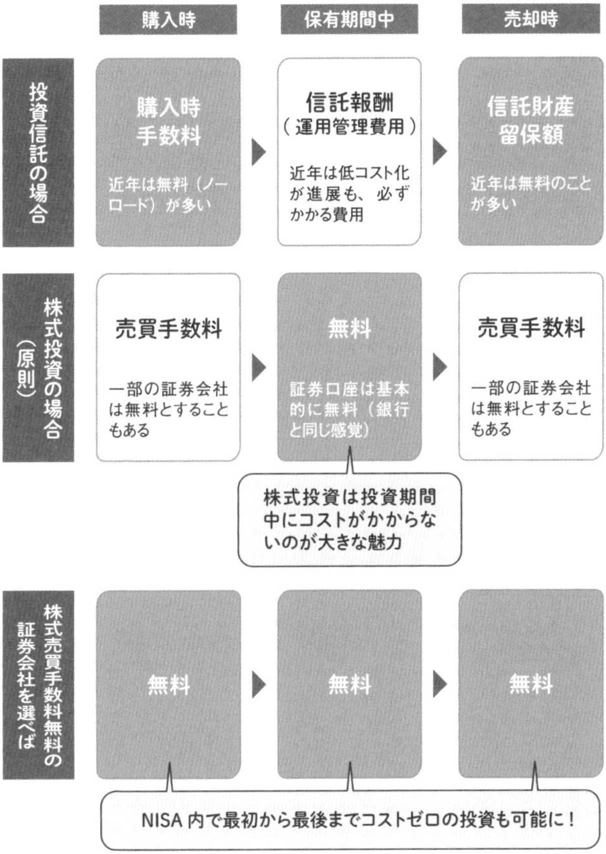

まとめ	
	□ 投資信託では購入時、保有期間中、売却時に手数料が生じる
	□ 個別株投資は、売買時に手数料がかかる
	□ 「株式売買手数料無料」とするネット証券会社も現れた

株主優待とは何か

配当とは別に商品や商品券などを受け取れる

株主優待を活用して生活費を下げている主婦投資家の話や個人投資家の話をテレビで見たことがあるかもしれません。

日本の株式市場独特の慣行のひとつに**「株主優待」**があります。個人の株主を増やすこと、個人投資家を投資市場に呼び込むことなどを目指して、一定の株数を保有している投資家が、配当とは別に商品や商品券などを受け取れる仕組みです。

たとえばディズニーランドを運営しているオリエンタルランドの株主は500株以上を保有していると半年に1枚、ワンデーパスポートをもらえます。カゴメなどの食品メーカーは、自社製品の詰め合わせパックを自宅まで送ってくれます。

多くの場合は、自社製品や自社製品の割引クーポンとなりますが、お米10キロとか汎用的な商品券であるとか、本業とは異なる商品を提供するような例もあります。

株主優待は「持ち株の数量」「特定の日」「保有期間」などによって設定されます。まず、株主優待の内容は「100株以上、500株以上、1000株以上」と保有株数で段階的に差がつくこともあります。そして「権利付き最終日」（基準日の2営業日前）までに株式を購入、保有しており株主名簿に記載されている人が対象になります。

一部の株主優待では、長期保有者にプラスアルファの優待がつくこともあります。株主優待の権利を得たらすぐ売却する投資家を減らすねらいで近年進んでいる取り組みですが、長期投資を意識したいNISAに適したアプローチといえるでしょう。

商品や商品券などを受け取れる株主優待

■ 株主優待の例

保有株式数	100株	500株～	1000株～
株主優待内容例［A社］	自社商品詰め合わせ（小）		自社商品詰め合わせ（大）
株主優待内容例［B社］	自社商品割引券500円相当	自社商品割引券1000円相当	自社商品割引券2000円相当

■ 株主優待の権利を獲得できる日がある

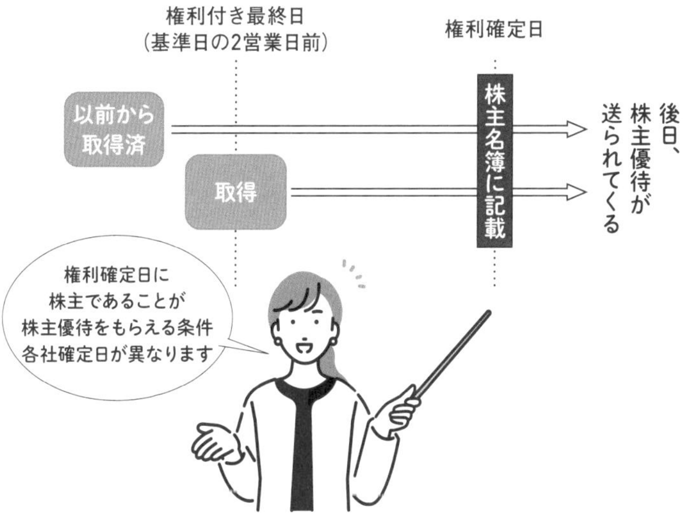

まとめ	
	☐ 株主優待は一定の株数を持つ投資家が商品や商品券を得る仕組み
	☐ 株主優待は日本の株式市場独特の慣行のひとつ
	☐ 持ち株の数量、特定の日、保有期間などによって設定される

株主優待で選ぶ銘柄選びと注意点

株主優待はあくまでもオマケと考える

どんな株主優待をやっているか（あるいはやっていないか）については、個別企業のWEBページに記載があります。証券会社のWEBページもしくはYahoo!ファイナンスなどの検索サイトを使ってみるといいでしょう。

株主優待で企業を選ぶ際に注意したいのは、**あくまで株主優待はオマケであって、本質的には本業の成長を評価し株価の上昇を目的に投資をする**ということです。たとえば「業績が悪く、将来の回復も見込めないが、株主優待だけは魅力的だから手を出す」のようなアプローチはおすすめできません。

株主優待の内容については「本業と関係があるもの」とそうでないものがあります。たとえば食品メーカーは株主優待として自社商品を送ってくれますが、そうした商品がない場合、1000円〜数千円程度の商品券やまったく本業とは無関係の商品（米数キロなど）が送られてくることもあります。株主優待がいくらくらいの金銭的価値があるのかに注目する選び方もあるようです。

また、株主優待の時期についても確認をしておきましょう。各社の株主優待の権利確定日は異なり、「今月の株主優待銘柄はこちら」のようなまとめサイトもあります。**株主優待をねらった短期投資家のため、権利確定日確定日直後は株価が下落（売って手放してしまうため）する傾向もあります**ので、初めての購入時はあまり一喜一憂しないことです。また、株主優待は見直されることもあります。必ずもらえると保証されているわけではありません。

● 株主優待の種類と注意点

■ 株主優待の種類

本業に関連したもの

◎ 新商品詰め合わせ
◎ 自社店舗の割引券
◎ 遊園地のパスポート

本業に関連しないもの

◎ 汎用的な商品券
◎ お米など現物

■ 株主優待「だけ」で選ばないように

業績が低迷、
しかも購入時より株価も急落しているのに
株主優待だけで保有するのはちょっと疑問

> 30%も値下がりしてますし、
> 3年連続赤字ですが
> 株主優待が魅力なので（笑）

証券会社の
WEBページ

Yahoo!
ファイナンスなどの
情報サイト

株主優待
まとめサイト

比較検索はWEBで
簡単にできる

まとめ	☐ 株主優待の内容は「本業と関係があるもの」とそうでないものがある
	☐ 株主優待はオマケ。本業の成長を評価し株価の上昇を目的に投資を
	☐ 比較情報サイトはたくさんあるので活用したい

配当とは何か

決算時に定める企業の利益の使い道のひとつ

企業は利益の使い道を決算時に定めます。社内に留保し将来のビジネス拡大のために用いる場合もありますが、**株主に還元することがあります。これを配当といいます**。「1株あたり○○円の配当」ように行われます。

従来、日本の企業は配当を軽視し、利益のほとんどを企業の成長に回すケースが多かったのですが、アメリカでは株主に対して高い配当を行うことが一般的です。近年ではこうした世界的な潮流に則り**日本でも配当を重視する傾向が強まっています**。

配当について利回りで表記することがあります。**「1株あたりの配当金÷株価」**で求められ%であらわします。株価10万円の会社が1000円の配当を行う場合、1.0%の配当利回りということになります。

配当は、「株式の保有割合に応じてもらえる」仕組みです。ここは株主優待と決定的に異なります。株主優待は100株保有の小株主も、100万株保有の大株主も同じものを受け取ることがありますが(株式保有数で差をつけない場合)、配当であれば100株保有の人と100万株保有の人では後者が1万倍多く配当金をもらえるわけです。

NISA口座開設者のほとんどは「株式数比例配分方式」を選択することになりますが、この場合配当は非課税で受けられます。また、**配当は自動的に振り込まれます**。

なお、配当は、「出るときと出ないときがある」ことに注意が必要です。業績の低迷などを反映して配当を減らしたり見送る（ゼロにする）ことはありますのでよく理解しておきましょう。

▶ 配当とは決算時に株主に還元する利益

■ 配当とは何か

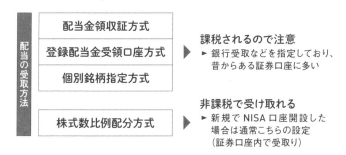

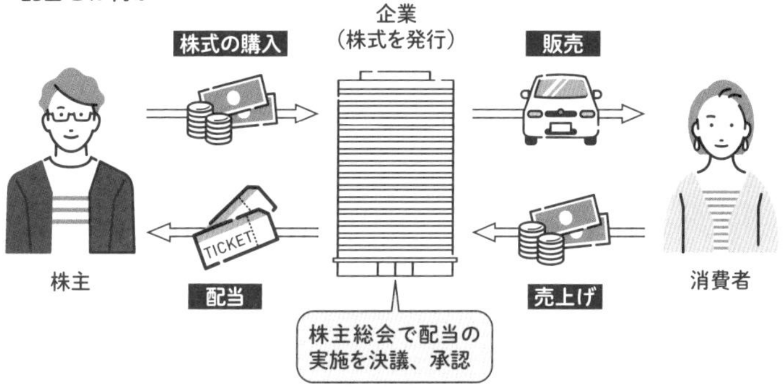

■ 配当利回りの計算方法

1株あたりの配当金 ÷ 株価 ＝ 配当利回り

■ 配当の受取方法に注意

配当の受取方法

- 配当金領収証方式
- 登録配当金受領口座方式
- 個別銘柄指定方式

▶ **課税されるので注意**
► 銀行受取などを指定しており、昔からある証券口座に多い

- 株式数比例配分方式

▶ **非課税で受け取れる**
► 新規でNISA口座開設した場合は通常こちらの設定（証券口座内で受取り）

まとめ

- ☐ 配当は企業の利益の使い道として株主に還元すること
- ☐ 世界的潮流で日本でも配当を重視する傾向が強まっている
- ☐ 配当は「株式の保有割合に応じてもらえる」仕組み

配当で選ぶ銘柄選びと注意点

安定的な配当は利益を継続的に生み出す証し

NISAにおいて、配当利回りに注目した銘柄選択を推す人も少なくありません。近年は配当利回りが2.0%前後ということも多く銀行預金にはない投資の魅力となっています。

銘柄検索の際にも、**配当の有無や配当利回りを検索のキーワードとして企業選びをすることができます**。安定的に配当を行っている会社はそれだけの利益を継続的に生み出す力があるといえますし、**配当も非課税**ですから、NISAの非課税投資のメリットを活かすことにもなります。

一方で、**配当は必ず保証されているわけではありません**ので、注意が必要です。本業の背景に変化が起きた場合に、配当を減らしたりゼロにすることがあります。かつては安定配当の株式投資のたとえとして東京電力がよく紹介されていました。震災以降、配当はゼロとなっていますし、近年も円安の影響で厳しい環境となっています（23年3月期決算は値上げをしても赤字）。配当を銀行預金のように確実に期待できるものとは考えないほうがいいでしょう。

ところで、投資信託が投資をする企業も配当を行っていますが、これは投資信託の資産残高に繰り入れられ基準価額が上がる形で反映されています。また投資信託が企業が配当をするように収益分配金を出すことがありますが、値上がりがないのに収益分配金を出す、いわゆるタコ足配当を行う投資信託が増え、実質的にマイナスであると批判が強まりました。近年はこれを行わず資産の成長を目指す投資信託の方が主流となっています。

● 配当利回りは必ず保証されているわけではない

■ 株価と配当利回りの関係

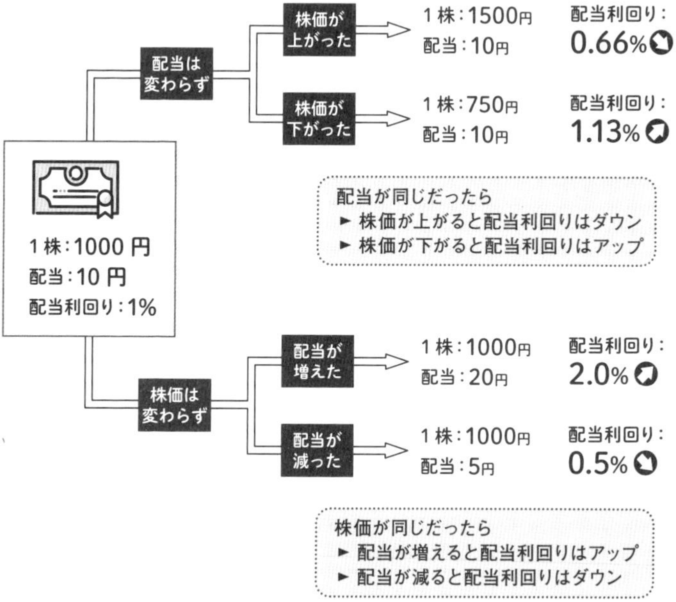

配当は
変わらず

株価が
上がった → 1株：1500円　配当：10円　配当利回り：**0.66%**

株価が
下がった → 1株：750円　配当：10円　配当利回り：**1.13%**

1株：1000 円
配当：10 円
配当利回り：1%

> 配当が同じだったら
> ► 株価が上がると配当利回りはダウン
> ► 株価が下がると配当利回りはアップ

株価は
変わらず

配当が
増えた → 1株：1000円　配当：20円　配当利回り：**2.0%**

配当が
減った → 1株：1000円　配当：5円　配当利回り：**0.5%**

> 株価が同じだったら
> ► 配当が増えると配当利回りはアップ
> ► 配当が減ると配当利回りはダウン

Part
5

日本株による資産運用

■ 配当は減ったり、止まることもある

高配当企業
A社

▶ 業績悪化など経営にマイナス要因が発生

▶ 配当減、停止を発表することもある

> 配当の中止や減配の発表はさらに株価を下げることもある（株式を手放す人が増えるため）

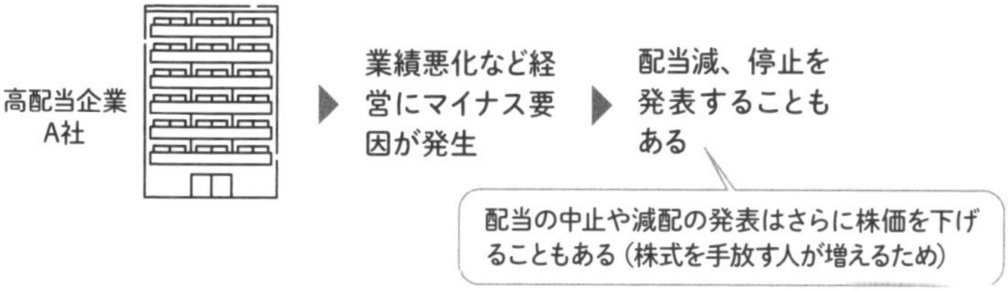

まとめ	☐ 配当の有無や配当利回りを検索キーワードとして企業選びも
	☐ 配当は非課税。NISAの非課税投資のメリットを活かせる
	☐ 本業の背景に変化が起きた場合には配当が減る場合も

小口で大家になるREITとは

投資信託(ETF)を通じて不動産を投資対象に

資産形成の手法をいろいろ調べはじめると「大家」というキーワードに接することがあります。とはいえ賃貸に出す部屋を1つ（あるいは小さなアパートを一棟）手に入れるためには高額の借入が必要になり、また空き家のリスクやトラブル対応なども気になります。実は**投資信託（ETF）を通じて不動産を投資対象にすることができます。REIT（リート）と呼ばれるものがそれです**。

一般的な投資信託がたくさんの企業の株をその資金で保有しているように、REITはたくさんの不動産を所有しています。その資産価値が価格に反映されます。

不動産といえば賃貸収入ですが、REITは所有している不動産から得られる賃料収入をREITを購入し保有している人に分配します。株主の配当、投資信託の収益分配金に類似していますが、**不動産の家賃収入をベースとしているため、ほぼ確実に得られ、また高利回りが期待できるのが魅力**です。

投資信託の一種でもあることから、**少額から購入できることもREITの魅力**です。アパートの大家になるためには数千万円は必要ですがREITであれば数千円程度で買えるものもあります。

REITの魅力は「不動産の種類」「不動産の地域」でも多様性があることです。たとえば、東京駅の駅前にあるオフィスビルであったり、巨大商業施設などを対象としたREITもあります。海外の不動産を対象としたREITもあるなど、個人には絶対に手の届かない不動産物件を投資に組み入れられるわけです。

REITの基本的な仕組み

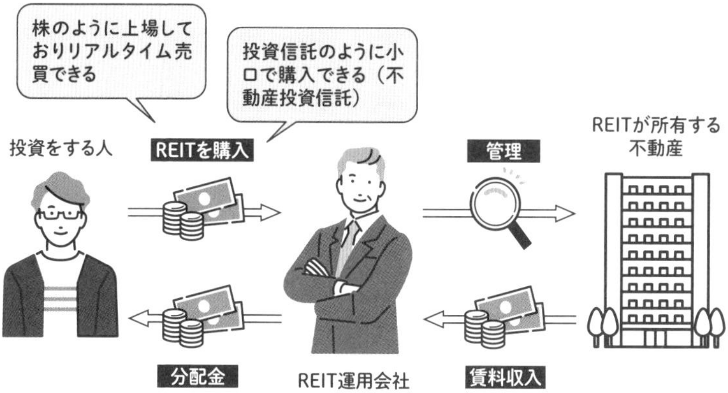

大家になるのとREITは何が違うか

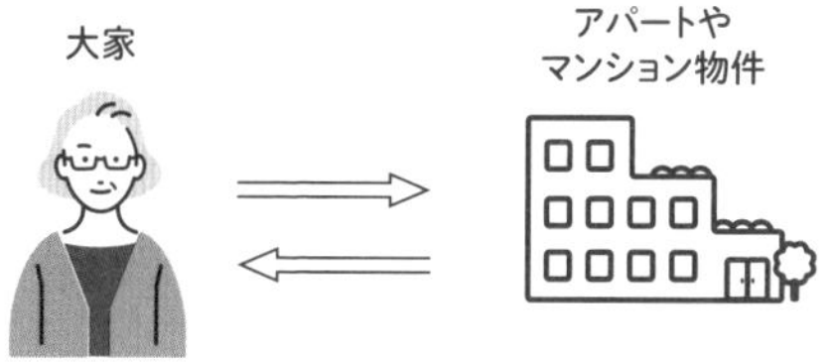

- 取得費用が高額(借入に頼ることも)
- 空き部屋リスク、居住者トラブルリスクが起きると収入ゼロも
- 個人向け賃貸住宅に限られる

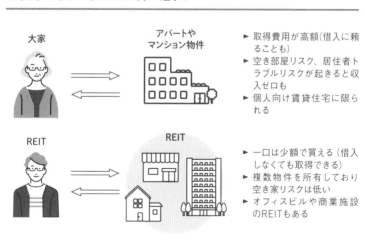

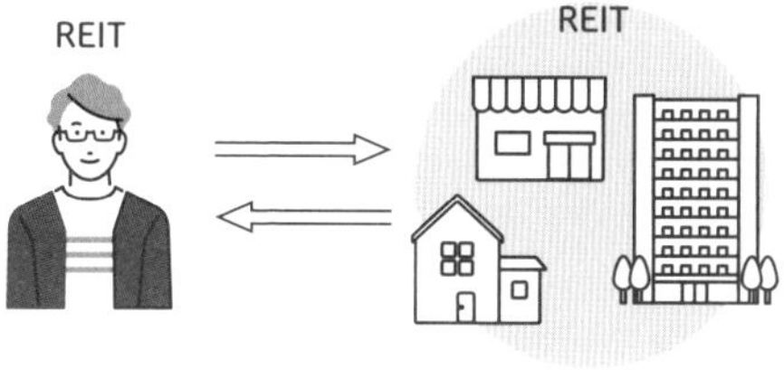

- 一口は少額で買える（借入しなくても取得できる）
- 複数物件を所有しており空き家リスクは低い
- オフィスビルや商業施設のREITもある

まとめ

- ☐ REITは多くの不動産を所有。その資産価値が価格に反映される
- ☐ 不動産から得られる賃料収入からREITを購入し保有している人に分配
- ☐ 投資信託の一種で少額から購入できる

株投資の注意点❶ 長期か短期か

NISAは中長期で考えたい投資口座

NISAで投資をする場合、どれくらいの投資期間を想定すればいいでしょうか。株式投資の場合、超短期で売買するイメージがあります。デイトレーダーなどは数秒あるいはそれより短いタイミングで売買をすることがあります。そこまで短くなくても当日中あるいは数日中には売買を終わらせる人も少なくありません。

NISAの場合、**年間の投資枠があり、また1800万円の上限を下回った投資可能枠が回復するのも翌年です。基本的には中長期で考えたい投資口座**といえます。

具体的には5年程度（従来の一般NISAのイメージ）できれば、20年くらい（従来のつみたてNISAのイメージ）を意識し、中長期で保有し続け、長い目で見た経済成長を待ちたいものです。

そもそも企業の株価上昇の源泉となるのはやはり企業の本業での売上増ですが、これは一朝一夕に成せるものではありません。新車や新作ゲーム機の開発から発売まで10年サイクルでビジネスは動いています。地に足を着けて株式投資をするのであれば、企業の成長を待つ時間を与えてあげたいものです。

長期保有株主に対して、株主優待で差別化をする企業も現れはじめています。オリエンタルランド（ディズニーランド）は、長期株主の1デーパスポートを1枚追加する株主優待を実施しています。

とはいえ、投資信託と異なり、個別企業への投資でその会社が「ひとり負け」状態になることがあります。こうした企業はチェックし、回復が期待できないのであれば、売却する決断も必要です。

投資は短期か長期か どちらで考える?

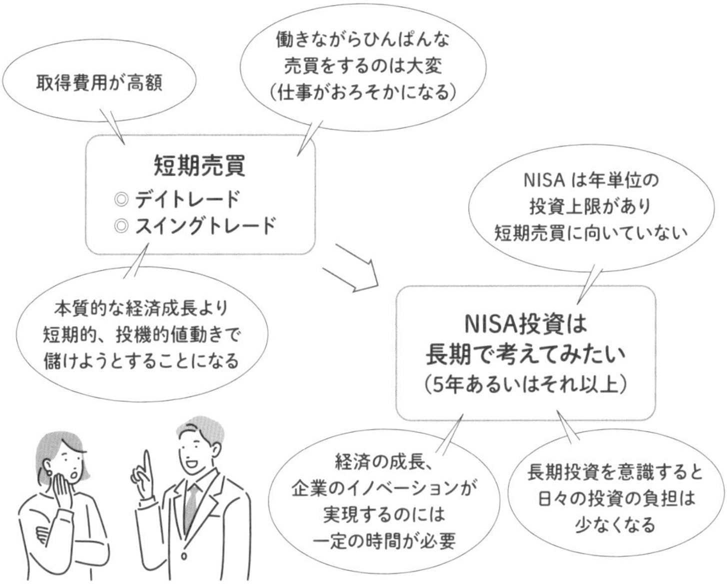

取得費用が高額
働きながらひんぱんな売買をするのは大変(仕事がおろそかになる)
短期売買
◎デイトレード
◎スイングトレード
本質的な経済成長より短期的、投機的値動きで儲けようとすることになる
NISAは年単位の投資上限があり短期売買に向いていない
NISA投資は長期で考えてみたい
(5年あるいはそれ以上)
経済の成長、企業のイノベーションが実現するのには一定の時間が必要
長期投資を意識すると日々の投資の負担は少なくなる

長期投資を優遇する株主優待もある

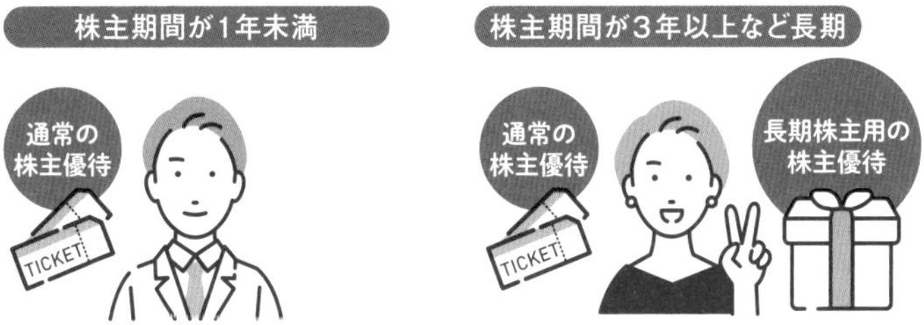

まとめ

- ☐ 20年くらいを意識し、中長期で保有し続け、長い目で経済成長を待つ
- ☐ 企業の成長を待つ時間を与えて地に足を着けて株式投資を
- ☐ 回復が期待できないのであれば、売却する決断も必要

株投資の注意点❷ バイアス（偏り）に注意

個別企業を選び高いリターンを期待しすぎない

個別株で投資をしたいとき考えなければいけない重要なポイントのひとつに**「バイアス（偏り）」**があります。**個別企業を選ぶことで市場の平均（インデックス）よりリターンを高くしたいと考えると、どうしてもバイアスは生じます**。また、金額的な制約があるため、たくさんの企業に分散投資も難しいところがあります。

たとえば、以下のようなバイアスが生じていないか考えながら2社目、3社目の銘柄選びをしてみるといいでしょう。

業種の偏り：特定の業種（特に日常生活に直結している業種）に銘柄が偏る

企業規模の偏り：巨大企業に銘柄が偏る

知名度での偏り：テレビCMをやっているような企業に偏る

国や地域の偏り：日本の企業だけに投資対象が偏る

こうしたバイアスを回避する一番簡単な方法は、「複数の銘柄を保有していく」方法と「個別銘柄と投資信託を組み合わせる」という方法です。おすすめは投資信託の併用です。

資産のすべてを個別株にせず、投資信託（P.68で紹介したオールカントリーなど）を併用すれば全世界にも投資をすることになりリスクが分散されます。

投資戦略として、意図して業種などを偏らせて投資をすることもあります。しかしバイアスの一番よくないところは、本人が無自覚のまま偏りを放置している状態です。まずは、自分の投資にバイアスがないか検討をしてみてください。

● 個別株投資は偏りが生じやすい

銘柄を複数買い集めるときは、意識して「バイアス」を減らしてみよう

① 業種 の偏り

► 個別株を保有すると、特定の業種(特に日常生活に直結している業種)に銘柄が偏ることがしばしば。長い目で景気動向を考えたとき、複数の業種に投資をしておくほうが安定的になる。

② 企業規模 の偏り

► 巨大企業に銘柄が偏ることがある。一方で中型株や小型株は値動きも荒く業績も不安定なこともあり、組入には慎重な判断が必要。

③ 知名度 での偏り

► 業種や企業規模の偏りとかぶるが、テレビCMをやっているような企業ばかり投資をしている場合、縁の下の力持ちのような会社は無視されていることがある。

④ 国や地域 の偏り

► 日本の企業だけが投資対象ではない。成長率の異なる海外にも目を向けてみると運用が安定する。

偏り(バイアス)という色眼鏡を外して企業を選んでみよう

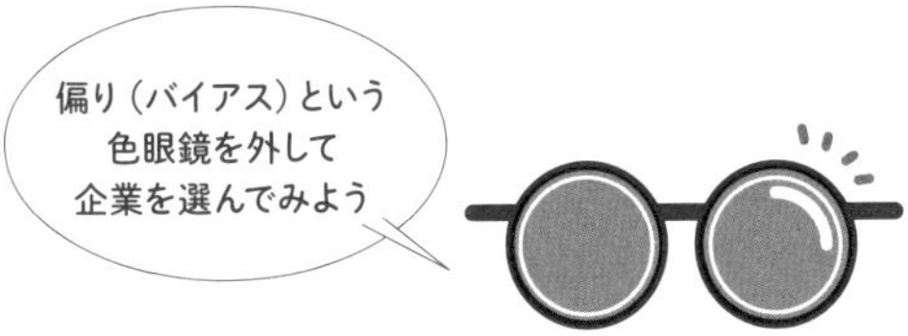

まとめ	☐ 個別株で投資するときは「バイアス(偏り)」に注意
	☐ 業種、企業規模、知名度、国や地域などのバイアスがある
	☐ 複数の銘柄を保有、個別銘柄と投資信託の組み合わせなどで偏りを回避

Column

国の年金運用に個人が勝てる?

本書では個別株のNISA投資についてもある程度触れていますが、個別株での投資はインデックス、つまり市場の平均に勝つことを前提としています。負ける前提ならインデックス運用をすればいいからです。一方で、インデックス以上の成績を本当に確保することはできるのでしょうか。

インデックスを中核に据えて国内外に分散投資をしている代表例は国の年金運用（GPIF）です。GPIFは2023年度末までの成績では年3.99%の運用成績を確保しています。これはリーマンショックなどの暴落をした年度も含めているので、大きく下げる年度があっても継続して投資をしたことで全体としては堅実に増やせたことになります。よく「国の年金積立金は枯渇する」といますが、実際には増やし続けることに成功しています。

あなたがもし「国の年金運用の利回りくらい上回ることができる!」と考えるなら、国の年金運用の計画より高いリスクを取ることになります。実際、NISAでは株式投資（投資信託を通じての株式投資を含む）が中心となり、公的年金運用が株式投資比率5割であることを考えればこれを上回ることになります。

ただし、〇×ショックのような時期には、公的年金運用の下落率以上の下げが生じうることは考えておきましょう。

また、私たちはしばしば自分の投資判断を過剰にプラスに評価するものです（オレの目利きは間違っていない！ のように考える）。自分の投資判断について自信過剰になりすぎないように、ときどき意識しつつ国の年金に勝つ運用を考えてみてください。

Part 6

米国株による資産運用

日本から、日本円で米国株が買える

時価総額でみれば世界の株式の6割ほどが米国株

Part 5で日本国内に上場している株の買い方を考えてみましたが、**世界で最大の株式市場はアメリカ**です。時価総額でみれば世界の株式の6割ほどが米国株となっているほど圧倒的です。

Part 4で紹介した「オールカントリー」の投資信託は世界中の株をその時価総額でシェアして保有していますが、この投資信託を買った場合は、6割は米国株に投資をしているということです。

GAFAMと呼ばれる巨大企業5社、すなわちGoogle、Apple、Facebook、Amazon、Microsoftが世界的な企業であることは誰でも知っていることでしょう。しかし30年前にはGEやエクソンモービルが上位を占めていた時代があり、また近い将来にはTESLAやNVIDIA、あるいはOpenAIなどの新たな企業が台頭し、GAFAMの牙城を崩すのではないかともいわれています。

こうした米国株を投資対象とすることはかつてはちょっとしたハードルでした。まず為替交換をする段階で高い手数料が生じましたし、海外の証券口座を持つことは困難でした。しかし今では日本から、日本の証券会社の口座で、日本円を入金して、米国株を購入することができます。もちろんNISA口座を使って米国株式に投資をすることもできます。

個別銘柄の株式について、日本国内だけではなく海外にもアプローチしてみたいと考える人のために、海外でももっとも市場規模が大きく、また買いやすい米国株について考えてみたいと思います。

世界の株式市場の時価総額、日本は5%、アメリカが60%

■ 世界の株式時価総額シェア

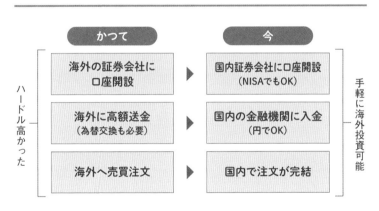

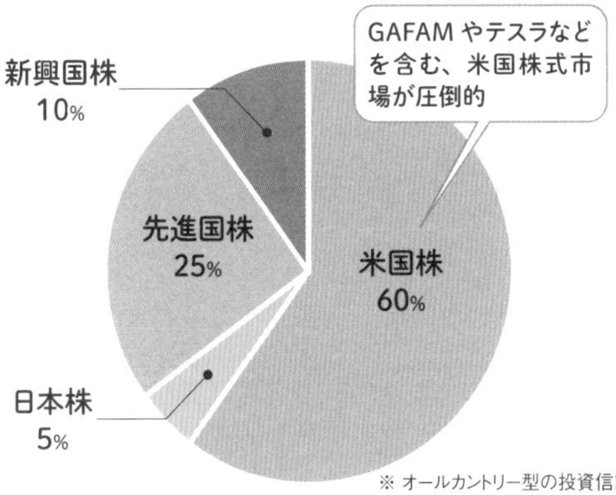

※ オールカントリー型の投資信託の投資割合（執筆時点）

海外への投資をするハードルが下がった

	かつて		今	
ハードル高かった	海外の証券会社に口座開設	▶	国内証券会社に口座開設（NISAでもOK）	手軽に海外投資可能
	海外に高額送金（為替交換も必要）	▶	国内の金融機関に入金（円でOK）	
	海外へ売買注文	▶	国内で注文が完結	

まとめ

- ☐ 「オールカントリー」の投資信託の内訳の6割は米国株
- ☐ 日本の証券会社の口座で、日本円を入金して、米国株を購入できる
- ☐ NISA口座を使って米国株式に投資をすることができる

数万円出せば Apple株も買えてしまう?

米国株は購入単価の小ささが魅力

米国株の魅力はいくつもありますが、まず紹介してみたいのは**購入単価の小ささ**です。日本の株は100株を単元株としているので、株価8000円でも80万円を用意する必要があります（→P.84）。

これに対して、米国株は基本的に1株単位で購入できます。執筆時点だとApple株が175ドルですから、1ドル150円としたら25500円くらいで株主になれるわけです。

米国では株価が上昇すると株式の分割をすることも一般的です。たとえば株価が10万ドルのようなことはあまりなく、値上がりすると1株を1対2とか1対10のように分割し、株保有数を増やします（1対2なら2株、1対10なら10株の株主になり、その分株価も小さくなる）。これにより新しい株主は買いやすく、既存株主は部分的に売りやすくなります。。

このあたりは国内株と違っているところです。たとえばソニーなど1万円以上の株価の企業を100株単位で購入すると100万円を超えてしまいます。これでは、NISAの1年間の成長投資枠で数社しか購入できません。ところが、米国株なら同じ予算枠でGAFAM株をすべて買うようなこともできるわけです。

購入単位が小さいということは売却も容易ということです。10株買って、値上がりしたら1～2株ずつ手放していくような利益確定方法も単元株の制約がないので簡単にできます。日本で同じことをすれば1000株買って100株ずつ売る、のようになってしまい金額的にも大変です。1株から買えるのは米国株の大きな魅力といえます。

日本株は100株単位、米国株は1株から買える

日本株	米国株
1株1000円も 100株10万円	1株10ドルなら 10ドルで買える （買う時、便利）
► トヨタ、ソニー、任天堂、ユニクロの株を100株ずつ買えば、それだけで650万円くらい必要	► 1株ずつならGAFAM5社の株主にたった16.5万円でなれる

複数銘柄の
投資が
困難だ

少額で
銘柄分散が
できる

※ 日米いずれも執筆時点

売るときも少額で投資できるメリットが生まれる

日本株	米国株
100株単位なので 細かく売却できない	10株買って 1株ずつ売るような こともできる （売る時も、便利）
NISA枠が 数銘柄だけで 埋まってしまうことも	複数銘柄を買い、 入れ替えや買い増しも 容易

まとめ

- ☐ 米国株は基本的に1株単位で購入できる
- ☐ 米国では株価が上昇すると株式の分割をすることも一般的
- ☐ 購入単位が小さいので部分的な売却も容易

年10%？成長率は日本よりも高い？

米国経済は強い成長力で資本主義の世界で主役

米国経済はダイナミズムと強い成長力をもって、資本主義の世界で主役の座にとどまり続けています。かつてはGMやGEのような巨大企業が世界を席巻した時代がありました。

現在では**GAFAM**のようなITを舞台に活躍する企業が主役となっています。世代交代のような力強い変化が起きつつ、とはいえ**コカ・コーラ**や**ジョンソン・エンド・ジョンソン**のように大企業であり続ける会社もたくさんあります。

株価の成長率も力強いものがあります。期間を何年で考えるかにもよりますが、アメリカの代表的な株価指数である**S&P500総合指数は平均して年10%くらいの成長率がある**そうです。

アメリカのインフレ率は平均するとだいたい年2.5%くらいになりますが、インフレを割り引いても株価の上昇率は大きく上回っています。ましては、ほとんどインフレのなかった日本から、この経済成長率を投資で手に入れることができるとすれば、**成長率の高さはそのまま自分の資産の成長率**となってきます。

日本の株式の上昇率は平均して年5～6%とされ、米国株をおすすめする人がよく指摘するのはこの成長率の差です。

ただし、注意しなければならないのは外国企業への投資は外貨での投資を必要とし、どこかで為替の問題と向き合う必要があることです。**投資をしたあとに円安基調となれば資産はさらに上昇しますが、円高に振れた場合、円貨でみた資産価値が大きく縮小することもあります**。為替の動向にはある程度の留意が必要です。

S&P500の総合指数は平均して年10%ほどの成長率

■ 経済成長率の力強さは米国経済の特徴

日本株式の期待リターン		米国企業の平均(S&P500)
5.6%	<	約10%

毎月1万円、30年積み立てた場合……

931万円	<	2260万円

■ ただし為替の変動の影響には注意が必要

投資時点

1ドル＝125円

解約受取時

1ドル＝100円
円高の影響だけで
資産価値が−20%

1ドル＝150円
円安の影響だけで
資産価値が＋20%

まとめ

- ☐ S&P500総合指数は平均して年10%くらいの成長率も
- ☐ 米国はインフレを割り引いても株価の上昇率は大きく上回っている
- ☐ 外貨での投資を必要とし、為替の動向には留意が必要

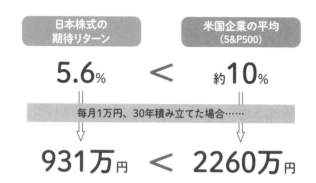

年7%も？配当率も高いのが魅力

米国株の配当利回りは高いことが前提

米国株投資の魅力に、配当利回りの高さがあります。。

米国株には年7～8%の配当利回りになる銘柄がいくつもあります。これらの銘柄を仮に1800万円相当保有したとすれば、毎年126～144万円の配当が得られることになります（米国株の配当は課税される）。これを老後に公的年金に上乗せするとすれば、老後の不安（いわゆる老後に2000万円でいわれていた月5～6万円の不足）で不足する金額をすべて穴埋めできるほどのインパクトです。

年7%といかなくても、年3%程度の配当利回りを実現している企業は多く、**米国株の配当収入は魅力的**です。安定した配当を連続して行っている企業が多いことも米国株の特徴です。**コカ・コーラ**や**エクソンモービル**などは20年以上にわたって連続増配を続けていることでも有名です。また、**米国株は配当回数が多いのも魅力**となっています。年4回の配当を実施する企業が多いため、四半期ごとに定期収入を得られることになります。

ただし、米国株の高い配当利回りの背景には「儲けられない会社は配当を出さない（減らす）」という事実もあります。日本では業績が悪化した企業が配当は出し続けることもありますが、米国株では「高配当企業」と「配当を出せない企業」の明暗があります。

実際、Apple社といえば世界的企業ですが、配当金額はしばしば減らしていますし、配当利回りは1%を切っている時期もあります。配当狙いで投資をする場合は、きちんとリサーチして銘柄選択をすることが大切です。

安定した配当を連続して行っている企業も多い

■ 個別企業は高配当率

日本の上場企業の平均配当利回り

平均1.7～2.0%

米国企業の平均（S&P500）

約1.9%

配当を実施しない企業も実は多いので平均は低い

配当実施企業は「高配当率」「連続増配」などの傾向

■ 配当実施企業は高配当率のことが多い

3%以上の配当を行う企業も多い

► AT&T、ジョンソン・エンド・ジョンソンなど

■ 連続増配企業も多い

20年以上連続配当、増配を続ける企業も多い

► コカ・コーラ、エクソンモービルなど

ただし、減配や停止もあることには要注意

まとめ

- ☐ 年3%程度の配当利回りの企業が多く、米国株の配当収入は魅力
- ☐ 連続増配、配当回数も多い企業が多出
- ☐ 配当狙いで投資をする場合は、リサーチして銘柄選択をする

米国株を購入できる証券会社を選ぶ

銀行のNISAは基本的に投資信託のみ

NISA口座で米国株が購入できる、といっても、NISA口座を開設する金融機関が米国株を取り扱っていなければなりません。**銀行のNISAは基本的に投資信託のみで個別株投資はできません。もちろん米国株投資も行えません。米国株投資を行う場合、証券会社に口座開設をすることが前提となります**。多くの証券会社が米国株を取り扱っていますが、取り扱い銘柄数、手数料などが各社異なりますので、確認が必要です。

楽天証券やSBI証券は、NISAにおける米国株の売買手数料を無料とし、為替手数料も無料とするなど積極的なサービス展開をしています。NISA口座で海外株を購入する場合は、あらかじめこうしたサービス状況を確認してください。

基本的な購入方法は日本株を買うのと同様ですが、米国株はドルベースで購入することになります。あらかじめ円をドルに換えておき購入する方法と、直接円で購入しその場でドルに交換後買付する方法を選べるのが一般的です。為替手数料が生じる場合もありますが無料とする証券会社もあります。

なお、米国株以外を取り扱っている証券会社もあります。各社の対応状況については各自確認をしてみてください。

最後に税金についても確認をしておきます。**売却益についてはNISA内で非課税で処理されますが、配当については課税されることになります**（国内で課税される20.315%は引かれないが、現地の源泉徴収税10%)。これはNISAで課税される数少ない例です。

● 米国株を取り扱うNISA口座かを確認

米国株取り扱いある?

Yes ……… **No** ………

多くの証券会社のNISA

▶ 米国株の取り扱いがあるか
　確認のうえ口座開設する

銀行などのNISA

▶ 銀行系の NISA は個別株式
　を購入できないことが多い

米国株取り扱い条件は?

取り扱い銘柄が多い ／ 取り扱い銘柄が少ない

売買手数料が無料 ／ 売買手数料がかかる

為替手数料が無料 ／ 為替手数料がかかる

米国株投資がしやすい
理想的なNISA口座

一般的な取り扱い

各社のサービス競争が
私たちのメリットにつながるので
口座比較をしてみたい

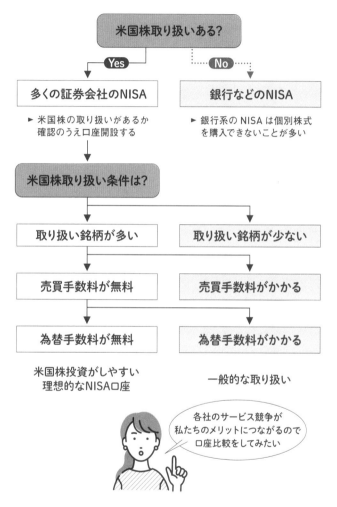

まとめ	☐ 証券会社の取り扱い銘柄数、手数料などが各社異なる ☐ 米国株はドルベースで購入する。為替手数料が生じる場合も ☐ 売却益はNISA内で非課税で処理。配当は課税される

Column

投資は「手段」「目的」ではない

投資の究極的な目的はなんでしょうか。「お金をより効率的に増やすこと」と考える人が多いと思います。それはそれで重要なことですが投資の目的は本当にそこにあるのでしょうか。

私は投資は「手段」であって「目的」ではないと考えます。投資を通じて得たお金で「自分や家族の幸せを『買う』」ことが本当の目的であり、お金を増やすことは手段に過ぎないからです。

投資をするときは、そのお金で自分は何を得たいか考えてみることも大切です。それは「短期的に儲かったから、売却して回らないお寿司を食う」のような近視眼的な話ではありません。できれば中長期的な目標を考えてみてください。

もちろん「子どもの大学進学費用の足しにしたい」のような資金ニーズの充足でもいいですし、「老後には夫婦で年に一度、旅行をするための軍資金を確保したい」というイメージでもいいでしょう。

目標が何かしらあるほうが、目の前の生活を少し抑えて積み立てをするモチベーションにもなります。未来にお金を使って楽しむために、今の消費をガマンし積立するのです。

目標があるからこそ、増えたお金を取り崩さずに投資を継続する抑止力にもなります。新 NISA 制度は、解約の自由度が高いため長期投資につながらないおそれがあります。目的や夢があればそれを防ぐことができます。

やみくもにお金を積み立て、売買を繰り返し、増やすことだけが運用の目的ではないのです。

Part 7

NISAを上手に続けていくために

運用をはじめたらどうすればいいか

投資割合の決定、投資原資の確保、銘柄選択が大切

運用をスタートするとき重要なことは何でしょう。「今が買いか／売り時か」「伸びる銘柄はどれか」を考えることではありません。

投資のプロセスを形にするならば、図のようなステップが必要です。銘柄を選ぶことよりも先に行うべきステップが3つあります。

ステップ1. まず、**投資割合の決定**です。あなたの資産のうちどれくらい投資をするのかをしっかり決めましょう。これはあなたが運用で取るリスクをコントロールする最大の選択肢です。あなたがもし「全財産の5割を投資する」と決めることは残りの5割は市場が下落しても減りません。生活に必要なお金、自分のリスクに対する理解や覚悟を踏まえて投資割合をまず決めてください。

ステップ2. 次にやることは**日々の家計を改善し、投資原資を確保する**ことです。つみたて投資枠に毎月一定額を積み立てるためには今までムダづかいに消えていたお金を減らし、一定額を確保することが大切です（すでにやっている積立定期預金などはそのまま継続してNISAには移さないほうがいい）。

ステップ3. NISA口座での商品や銘柄選択に移ります。**「個別株をやるか、やらないか」という選択を行い、投資信託では「インデックス運用とするか、アクティブ運用もするか」を考えます**。投資信託と個別株を組み合わせてもいいので、そうした判断も必要です。

投資信託については運用の手数料が低コストであること、株式売買については手数料が低い（あるいは無料）であることなどを考慮し、最終的にどの金融機関でNISA口座を開設するか決定します。

運用するための3つのステップ

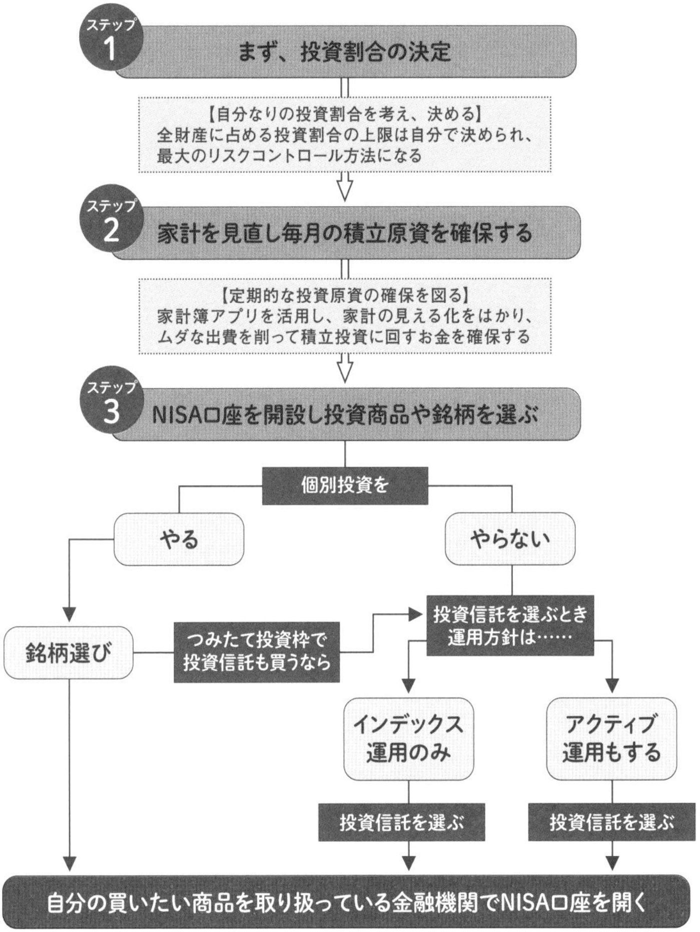

ステップ1
まず、投資割合の決定
【自分なりの投資割合を考え、決める】
全財産に占める投資割合の上限は自分で決められ、
最大のリスクコントロール方法になる
ステップ2
家計を見直し毎月の積立原資を確保する
【定期的な投資原資の確保を図る】
家計簿アプリを活用し、家計の見える化をはかり、
ムダな出費を削って積立投資に回すお金を確保する
ステップ3
NISA口座を開設し投資商品や銘柄を選ぶ
個別投資を
やる
やらない
銘柄選び
つみたて投資枠で
投資信託も買うなら
投資信託を選ぶとき
運用方針は……
インデックス
運用のみ
アクティブ
運用もする
投資信託を選ぶ
投資信託を選ぶ
自分の買いたい商品を取り扱っている金融機関でNISA口座を開く

まとめ

- □ 投資割合の決定はリスクをコントロールの最大の選択肢
- □ つみたて投資枠に毎月積み立てる一定額を確保する
- □ 「個別株をやるやらない」「インデックス運用かアクティブ運用か」を決定

基本的には積立投資を続けていけばいい

投資のルールをシンプルにし、継続可能なものに

NISAで運用をはじめるとき、できれば**投資のルールをシンプルにし、かつ継続可能なものとしたい**ところです。たとえば毎日株価チェックをしなければならないとしたら、運用は大きな負担になります。投資信託の活用でそうした負担を抑えることが可能です。重要なのは、**毎月定期的に積み立てて投資元本を増やしていくこと**です。投資といえば最初にまとまったお金を入金し、売買だけで増やしていくイメージですが、それではなかなかお金は増えません。

100万円を投資し、10%増やして売却、また次の銘柄を買っては10%増やしては売却を繰り返すとします。32連勝すると2000万円を突破します。一見すると不可能ではないように思えますが、値下がりして手放すことがあれば、原点復帰に数回の売買が追加されますので、実現は遠ざかります。そもそも安定的に株価が増え続けるとは限りませんし、NISAの年間投資枠内では途中から「全額売って、また買う」は不可能です。

それよりは、**毎月数万円程度の積立投資を継続し「投資元本の積立＋運用収益の上乗せ」で資産形成をしていくほうが効率的であり、普通の人の現実的選択肢です**。NISAは投資元本を1800万円まで積み立てられる制度なわけですから、その1800万円をどこかから確保し、NISA口座に入金することをまず考えてみてください。

たとえば、年60万円（月5万円）の積立をすれば、30年で1800万円の元本が入金され、年4%の運用収益の上乗せで、3470万円の資産に育ちます。毎月コツコツ積立投資をしていきましょう。

▶ 投資の負担を少なくしつつ、堅実に増やす方法は「積立」

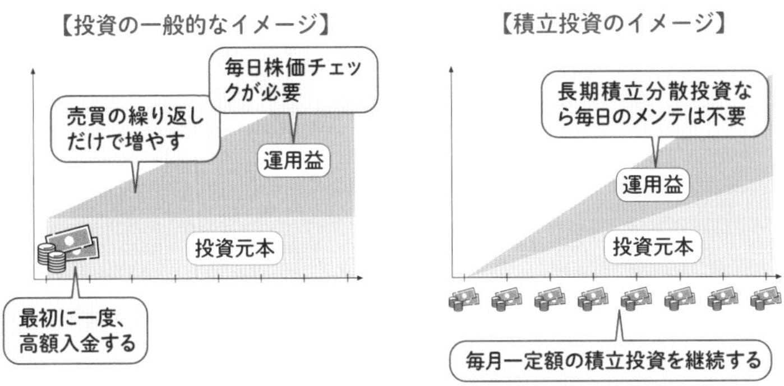

▶ 20年の長期積立分散投資は勝率ほぼ100%でプラス

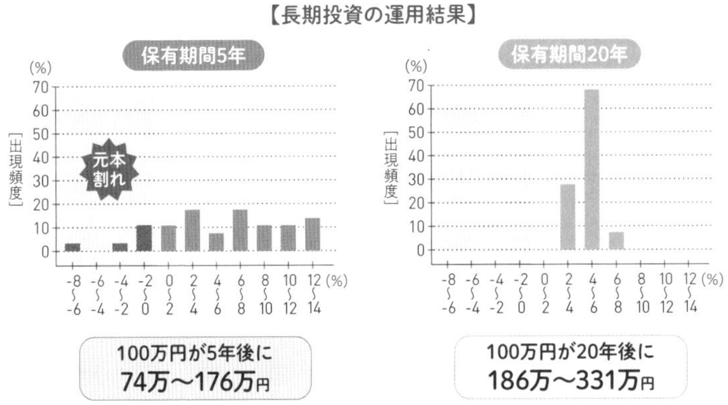

※ 1989年以降、国内外に分散投資を行うシミュレーション。5年の積立では元本割れで終わるケースもあるが、20年の長期積立投資の場合、バブル崩壊やリーマンショックを含んでいても、プラスで終わる結果となっている

出典：金融庁

まとめ	
	□ 投資のルールをシンプルにし、かつ継続可能なものにする □ NISAでは「全額売って、また買う」の繰り返しは不可能 □ 「投資元本の積立＋運用収益の上乗せ」で資産形成を

年上限枠は気にしないで投資をする

自分にできる範囲でNISAの枠は使いこなす

NISA活用術でネットで検索をすると「年360万円×5年で1800万円の上限枠を最短で埋めよう」とか「つみたて投資枠をクレジットカード経由で月10万円積み立てるのが基本」のような話が見受けられます。しかし、こうした話を鵜呑みにする必要はありません。

確かに1800万円の投資上限をすぐに使い切りたいのであれば、年360万円の投資が必要ですが、6年目以降はNISAに入金できません。それに毎月30万円の入金は多くの人にとって非現実的です。

あなたが毎月数万円の積立が精一杯だと考えているなら、**自分にできる範囲でNISAの枠は使いこなしていけばいい**のです。「一生かけて1800万円を埋められれば十分」くらいに考えましょう。よく「老後に2000万円」といいますが、リタイアするまでに元本1800万円の投資ができれば、3000万円くらいへの資産の成長は十分に期待できます。将来のインフレを見越しても悪くない資産額です。

仮に65歳までに1800万円の枠を使い切るモデルをいくつか考えてみましょう。仮に30歳から35年かけて積み立てるとすれば、毎月あたりの積立投資金額は42857円です。これは旧つみたてNISAの年間拠出枠（年40万円）に近いイメージです。まずはこのペースが実現できないか考えてみましょう。月4万円が大変なら、毎月2万円、ボーナスごとに14万円入金するようなアレンジをしてもいいでしょう。同時並行で定期預金を積み立てている場合などもNISAが月10万円にならなくてもまったく気にしなくてかまいません。できる範囲で積立額を設定してみましょう。

NISAの1800万円枠を使い切るモデル

■ 30年で1800万円の枠を使い切るくらいのイメージでOK

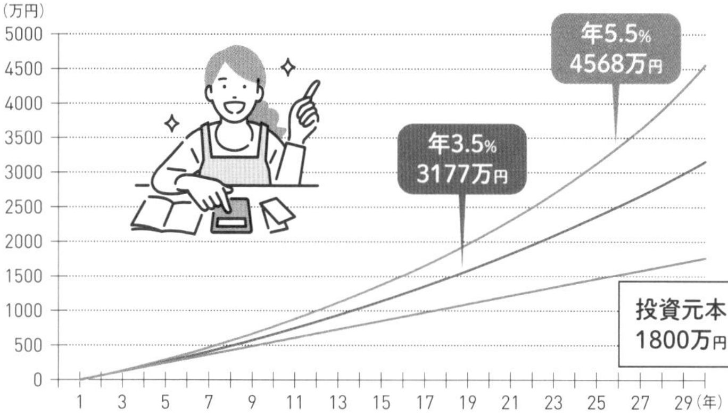

■ 65歳までに1800万円を使い切る積立額の早見表

開始年齢	月積立額	拠出元本	運用利回り(年利)		
			1.0%	3.5%	5.5%
30歳	42857円	1800万円	2154万円	3524万円	5447万円
35歳	50000円	1800万円	2098万円	3177万円	4568万円
40歳	60000円	1800万円	2044万円	2871万円	3852万円
45歳	75000円	1800万円	1992万円	2602万円	3267万円
50歳	100000円	1800万円	1941万円	2363万円	2787万円

まとめ

- ☐ 自分にできる範囲でNISAの枠を活用する
- ☐ 老後資金なら「一生かけて1800万円を埋められれば十分」くらいに
- ☐ 毎月の積立、ボーナス時の積立など無理のない投資計画を

短期的な値上がり・値下がりに焦らない

株式投資は短期的には上下動を繰り返す

投資において重要なことは「お金を増やす」ことですが、これは一時的にマイナスになることを否定しているわけではありません。株式投資は短期的には上下動を繰り返します。**購入時の価格を下回った状態を「含み損」**ということがあります。実際にはまだ売ってはいないわけですが、時価としては購入時の価格を下回っている、つまりマイナスを抱えた状態ということです。

投資をすれば何度も含み損を抱えた状態になるものです。短期的に値下がりすることは当然のことです。このとき焦らないことです。

2024年の前半など、いきなり15%以上の国内株価の上昇があったかと思えば、あっという間に10%近く下がり、まるでジェットコースターのようです。「○○ショック」のような大暴落は10年に一度、小規模の下落なら10年に数回くらいは起きるのが経済の一般的な流れです。このとき大暴落の時期には20～30%の下落が生じます。個別銘柄で投資をしている場合はそれ以上の下落もままあります。

しかし、経済の成長は力強いもので、**時間を待つことができれば短期的な下落を回復し、その後より高い価格水準に推移していきます。焦って含み損の状態で売ること、積立投資をストップすることは避けたほうがいいでしょう。**アベノミクス以降投資をした人、あるいは2024年にNISA口座で投資初体験という人たちは、まだ大暴落の経験がありません。資産がマイナス30%のような状態に一時的になっても、投資を続けていけるような無理のない金額を設定することも大切です。

積立投資を続けた成果は大きく元本を上回る

■ 長期・積立・分散投資のシミュレーション(例)

2002年1月～ 2021年12月の毎月末に主な株式指数に1万円を積立投資をした場合

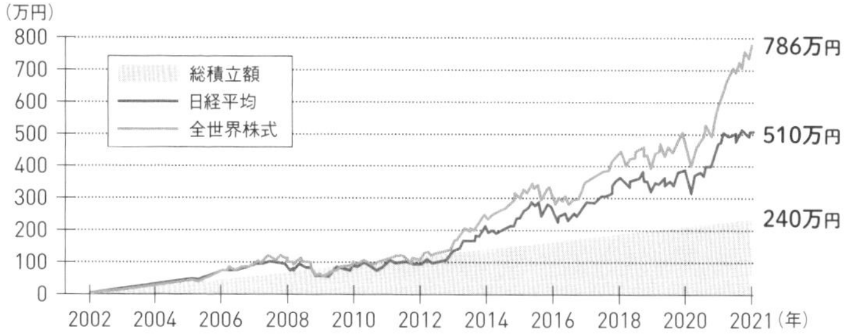

(万円)
800
700
600
500
400
300
200
100
0
総積立額
日経平均
全世界株式
786万円
510万円
240万円
2002
2004
2006
2008
2010
2012
2014
2016
2018
2020
2021(年)

2002年から20年の積立投資はリーマンショック、コロナショックを間にはさんでも大きくプラスになる

出典：金融庁

初心者は「金額」で短期的変動に対応しよう

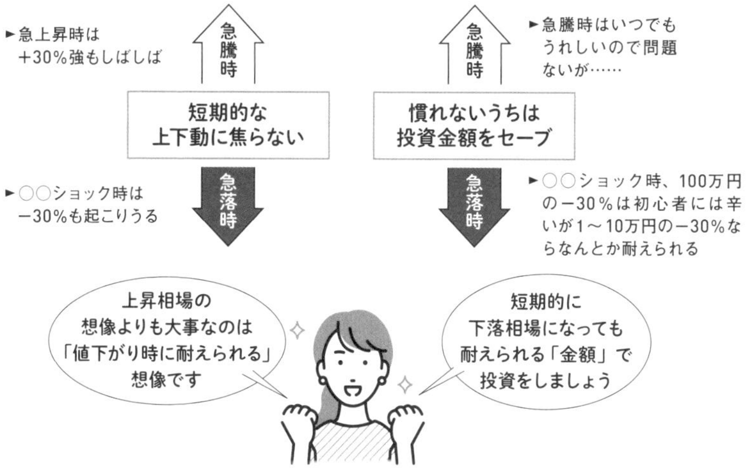

►急上昇時は
+30%強もしばしば
急騰時
短期的な
上下動に焦らない
急落時
►○○ショック時は
−30%も起こりうる
►急騰時はいつでも
うれしいので問題
ないが……
急騰時
慣れないうちは
投資金額をセーブ
急落時
►○○ショック時、100万円
の−30%は初心者には辛
いが1～10万円の−30%な
らなんとか耐えられる
上昇相場の
想像よりも大事なのは
「値下がり時に耐えられる」
想像です
短期的に
下落相場になっても
耐えられる「金額」で
投資をしましょう

まとめ	
	☐ 投資には短期的に値下がりすることが当然ある
	☐ 大暴落は10年に一度、小規模の下落なら10年に数回くらいは起きる
	☐ 焦って含み損の状態で売ること、積立投資をストップすることは避ける

売るならどうする?!
部分的に売る

ひんぱんな売買を行うことは投資枠の有効活用にならない

それなりに株価水準も上昇、投資資金がプラスになっているとき、「売り方」を誰もが考えます。投資本でもよく「安いときに買い、高いときに売る」ためのテクニックに紙幅が割かれています。

しかし**NISAにおいてひんぱんな売買を行うことは投資枠の有効活用になりません**。年360万円の投資枠は同一年内に売却しても復活することがないからです。2023年までの旧NISAのように投資期限もなく、投資5年目だから売るという必要もありません。

そんなとき、最初に覚えたい「売り方」テクニックは**「部分的に売る」**ことです。投資信託を100万円分買っていて、110万円まで値上がりしたとします。このとき、「全額売って、110万円の現金を確保」と考えるのが古い投資の発想です。あなたが110万円の現金を必要としていないのであれば、「10万円分だけ利益確定する」という選択肢を考えてみます。つまり**値上がりした分くらいを部分的に売却する**わけです。投資信託は口数で売却単位を細かく指定できるので（金額ないし割合で指定できることもある）、小刻みな売却に向いています。ただし日本株は100株単位でしか売買できません。

部分的に売るメリットは、このあとさらに株価が上昇しても下落しても納得がいくことです。さらに値上がりしたとき全額売った人は売らなければ良かったと地団駄踏みます。さらに値下がりしたときは部分的には利益確定しておいて良かったと安心できます。

売らずに持ち続けることをまず考え、次に部分的に売ることを考えましょう。

値上がりした分を小刻みに、部分的に売ろう

投資割合を決めているなら、ズレを補正する売り方

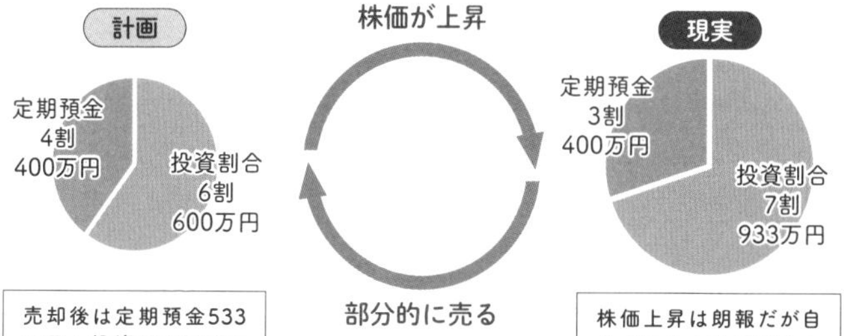

売却後は定期預金533万円＋投資800万円で計画上の投資割合「4:6」が回復

株価上昇は朗報だが自分が決めた投資割合から過剰な投資割合に変化したとも捉えられるので1割相当を売ってみる

■ 投資信託は小刻みに売りやすい

国内株

- ►100株単位でしか売買できない
- ►金額的にも大きなまとまりとなり小刻みな売りには不向き

投資信託

- ►保有口数、あるいは金額や割合で指定し小刻みな売却が可能
- ►投資割合を調整するための部分的な「売り」が簡単にできる

■ ただし売りは「NISA枠」からの出金を意味する

入金には制限

◎年間拠出枠の上限
◎成長投資枠の上限

►入金額の制限があり「売って、その金でまた買う」はNISAでは不向き

⇒

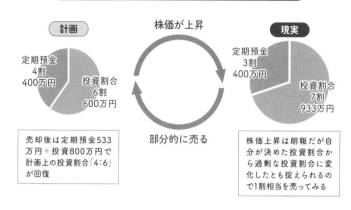

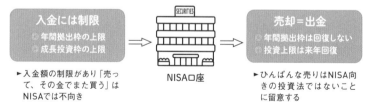

NISA口座

⇒

売却＝出金

◎年間拠出枠は回復しない
◎投資上限は来年回復

►ひんぱんな売りはNISA向きの投資法ではないことに留意する

まとめ

- ☐ 売却するならまずは「部分的に売る」こと
- ☐ 値上がりした分くらいを部分的に売却するのが目安
- ☐ 部分的に売れば株価が上昇しても下落しても納得がいく

売るならば 自分のリスク許容度で判断する

株価水準ではなく「自分自身」に判断を求める

NISAのもうひとつの売り方は、**株価水準ではなく「自分自身」に判断を求める方法**です。どれだけリスクを取りうるか、投資の世界ではリスク許容度という言葉があります。自分が**「これ以上リスクは取りたくない」と考えるなら、それは正当な売る理由です。**

たとえば、「財産の半分くらいまでなら投資をしてみてもいい」と考えていた人に、望外の株価上昇があったとします。このとき「株価が上がっているから売ろう」ではなく、「……全財産の75%が投資資金となった。これはやりすぎだから投資している分を一部売って50%くらいに投資割合をとどめよう」と考えてみるのです。

これは株価ではなく自分自身に判断理由がある、合理的な売却判断です。また、売ったあとの値動きに後悔せずにすみます。そのあとさらに値上がりしても投資割合50%分はさらに値上がりしますし、その後値下がりすれば利益確定したことに納得が得られます（そのあと、下がった投資割合を高め直すことができれば理想的）。

同様に**「必要があれば、いつでも売ればいい」ということは売ってもいい理由として覚えておきましょう**。たとえ値下がりをしていたとしても、まとまったお金が必要であり、NISAから売らなければ借金をするような状況なら、それは十分に売る理由となります。利益が出ているのならなおさら気にする必要はありません。

子どもの学費準備や住宅購入資金をNISAも活用して進めているような場合は、必要なときはためらわずに売ってください。また資金を積み上げていけばいいのですから。

売る理由を明確にしよう

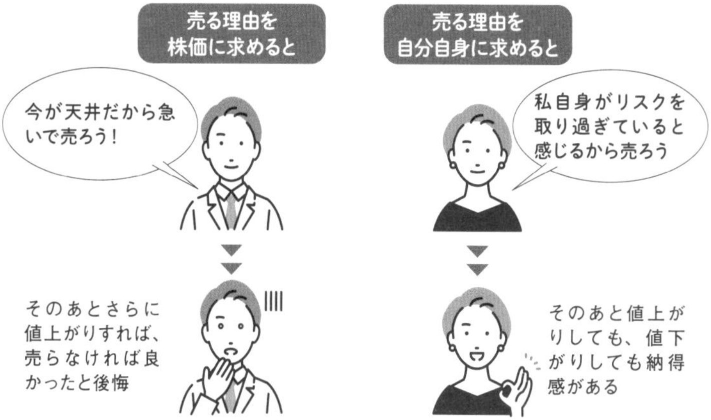

売る理由を株価に求めると
売る理由を自分自身に求めると
今が天井だから急いで売ろう!
私自身がリスクを取り過ぎていると感じるから売ろう
そのあとさらに値上がりすれば、売らなければ良かったと後悔
そのあと値上がりしても、値下がりしても納得感がある

株価ではなく、自分自身のリスクとの付き合い方を
売る判断材料としたほうがいい

自分の「心」に売る必要を問おう
リタイアが近づいてきており投資リスクを下げていきたい
◎リタイアが近づいているなど自分自身の変化

自分は資産の3分の2以上、投資に向けたくない
子の学費に使う予定があって、現金化しておきたい
◎明確な資金ニーズがある

まとめ	
	□「これ以上リスクは取りたくない」は正当な売る理由
	□「必要があれば、いつでも売ればいい」も売ってもいい理由
	□子どもの学費準備や住宅購入資金ならためらわずに売ってよい

個別株投資、アクティブ運用は定期チェックをする

投資のメンテナンスを必要とする投資スタイル

投資信託を活用し、長期積立分散投資を心がけるのであれば、投資の負担はあまり大きなものではなくなります。**基本的には毎月一定額を追加購入し、分散投資を続けていけばいい**からです。一方で、投資のメンテナンスを必要とする投資スタイルもあります。

投資信託でアクティブ運用を行う投資信託を購入した場合は、定期的に運用状況を確認しましょう。アクティブ運用は巧拙が出ます。インデックスを上回る成績を出し続ける投資信託がある一方で、下回り続け、しかもインデックスからどんどん離れていくような投資信託も見受けられます。これは運用能力に疑問符がついた状態ですから定期的に運用報告をチェックし（WEBサイトなどで開示されている）、見切りをつけるほうが賢明です。できれば年に4回、四半期報告を確認したいところです。

個別株投資はアクティブファンド以上に個別銘柄の成績差が出ます。インデックスが5%上昇した1カ月に、2倍（つまり100%アップ）した企業が数社現れる一方で、2分の1（つまりマイナス50%）となる企業も数社出てくるくらいの変動幅があります。

といってもNISAの枠を上手に活用するのであれば短期売買は避けたく、毎日チェック、あるいはほぼリアルタイムで朝9時から午後3時までチェックし続けるのはやりすぎです。そうはいっても四半期ごと、あるいは月イチくらいのチェックは必要でしょう。

NISAの年間投資枠も限られますから、銘柄を絞り込み、中長期で保有してもいい株を保有したいところです。

投資信託、個別株の値動きのイメージ

アクティブ投信の値動きのイメージ

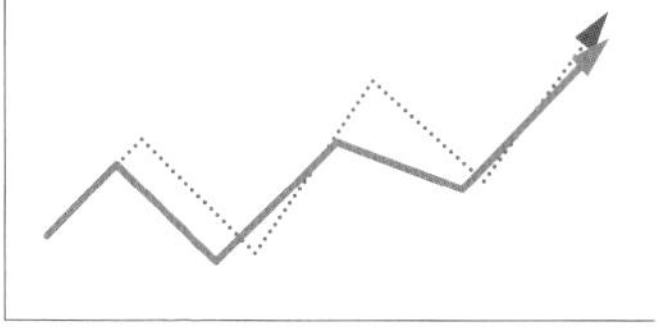

- インデックスを必ず上回るとは限らず定期的に運用状況をチェックすることが必要。場合によっては手放す選択も考える

【インデックスの値動きのイメージ】

- 国内の株価指数、世界の株価指数も上下動は小さくないが、投資をすれば避けられないし、長期的には右肩上がりが期待できる

【個別株の値動きのイメージ】

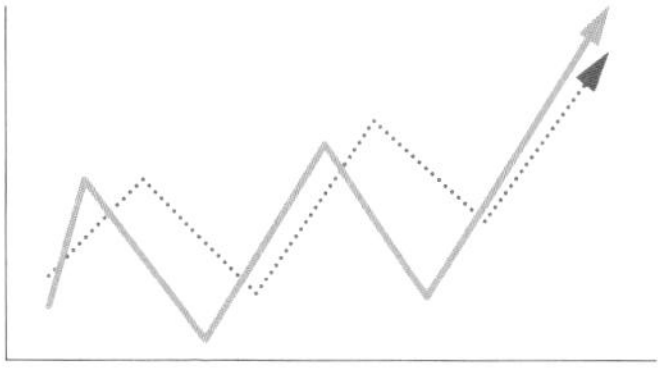

- 株価指数の動きより個別株の値動きのほうが荒くなる傾向
- インデックスより高いならいいが、低く推移しているなら見切りも必要
- そのためには定期チェックが欠かせない

まとめ

- ☐ 投資信託でのアクティブ運用は、定期的に運用状況を確認する
- ☐ 定期的に運用報告をチェックし、見切りをつけるのが賢明な場合も
- ☐ 個別株投資はアクティブファンド以上に個別銘柄の成績差が出る

長い目で見てNISAを自分の豊かさづくりに活かそう

NISA口座を開設、資産運用をスタートしよう

60分くらいの時間をかけて、本書を読み通してきたみなさんは、NISA活用のイメージがわいてきたでしょうか。NISA制度の仕組みを理解し、投資信託を活用する方法や個別株投資の投資方法のヒントが見えてきたと思います。

ぜひ、NISA口座を開設し、資産運用をスタートしてみてください。金融機関選びに悩んだ場合、あるいは商品選びに悩んだ場合は、このあとのおまけページにヒントをいくつかご紹介しています。参考にしてみてください。

最後にひとつ、忘れてはいけないヒントを紹介します。それは、**資産運用はしょせんは「手段」であって「目的」ではないということ**です。個別株の短期売買などを繰り返していると、お金を増やすことそのものに目的を見いだしてしまいますが、お金が増えること自体は私たちを幸せにするわけではありません。

個別株の短期売買を取引方法の中心に据えると「手段」が目的化してしまいがちです。また、毎日相応の時間を割かなければ投資をしてはいけないようなイメージが強くなり、ハードルを上げてしまいます。結果として投資に手を出せなくなってしまいます。

私たちは**経済的な豊かさをNISAを通じて得たあとは、そのお金で自分や家族の幸せを得ていい**のです。つまり、使うことが本来の投資の「目的」だということを忘れないようにしてください。

投資はこれから誰でも触れるものとなります。NISAを通じてあなたも投資を自分の資産形成の選択肢としてみてください。

投資をする本当の目的を見極める

■ 投資するとき誤解しがちなこと

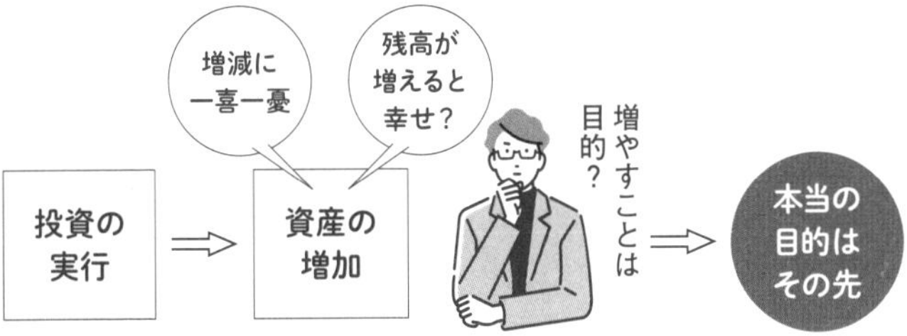

お金が増えることは確かに嬉しいし重要なことだが
それは「目的」ではない

■ 投資は「手段」、本当の目的は何か

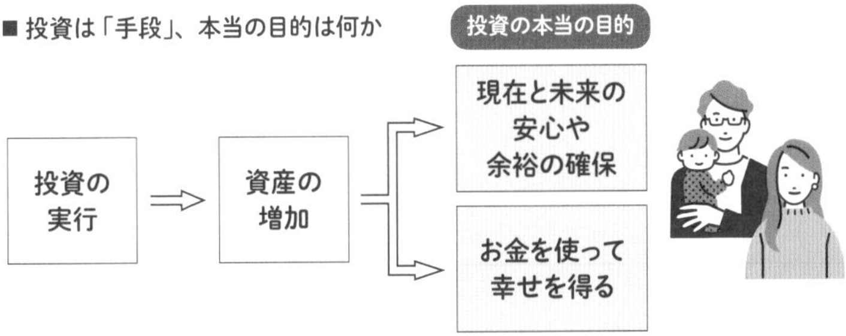

増やすことは「手段」であると考えてみる

まとめ

- ☐ 資産運用はしょせんは「手段」であって「目的」ではない
- ☐ 個別株の短期売買を取引方法の中心に据えると「手段」が目的化する
- ☐ NISAで得たお金は、本来、自分や家族の幸せに使うもの

NISA口座開設するならどこにする?

投資信託はどこでも対応

日本株を買うなら証券会社

米国株に挑戦なら候補は限定

		取り扱い商品		
		投資信託	国内株	米国株
証券系	楽天証券	○	○	○
証券系	SBI証券	○	○	○
証券系	マネックス証券	○	○	○
証券系	松井証券	○	○	○
証券系	auカブコム証券	○	○	○
証券系	PayPay証券	○	○	○
証券系	tsumiki証券	○	—	—
銀行系	みずほ銀行	○	—	—
銀行系	三井住友銀行	○	—	—
銀行系	三菱UFJ銀行	○	—	—
銀行系	ゆうちょ銀行	○	—	—

対応
クレジットカードは
指定あり

売買手数料
無料のところも

外国株（米国以外）	クレカ積立対応	国内株売買手数料無料	米国株 売買手数料無料	米国株 為替手数料無料
○	○	○	○	○*
○	○	○	○	○
○	○	○	○	△（買付時）
―	―	○	○	○
―	○	○	○	―
―	○	―	―	―
―	○	―	―	―
―	―	―	―	―
―	―	―	―	―
―	―	―	―	―
―	―	―	―	―

※ 2024年5月下旬のデータによります。将来サービスが変更される可能性がありますのでご留意ください
＊リアルタイム為替取引の場合

投資信託選ぶならどれにする?

ネット証券の検索機能を活用してみよう 楽天証券のケース

❶ 投資信託 → ❷ 投信スーパーサーチ へ移動

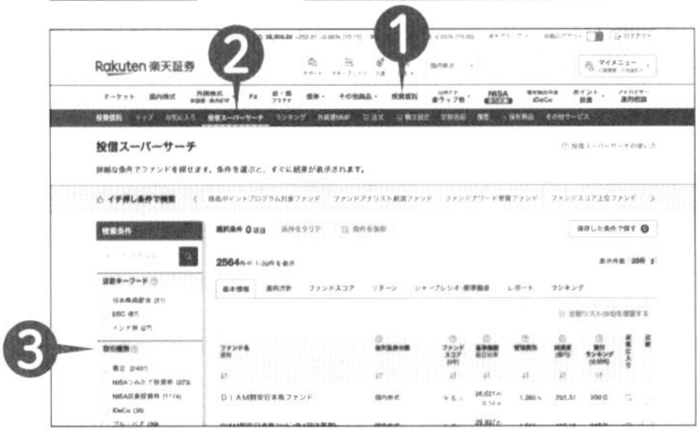

※ 画像は2024年5月27日時点

■ インデックスファンドの例

投資信託名	運用会社	楽天証券分類	楽天証券ファンドスコア(3年)	運用管理費用(税込)	インデックス運用	つみたて投資枠対象
eMAXISSlim全世界株式(オールカントリー)	三菱UFJアセットマネジメント	先進国・新興国株式(広域)-為替ヘッジ無し	5	0.05775%	○	○
楽天・オールカントリー株式インデックス・ファンド	楽天投信投資顧問	先進国・新興国株式(広域)-為替ヘッジ無し	—	0.0561%	○	○
eMAXISSlim先進国株式インデックス	三菱UFJアセットマネジメント	先進国株式(広域)-為替ヘッジ無し	5	0.09889%	○	○
たわらノーロード先進国株式	アセットマネジメントOne	先進国株式(広域)-為替ヘッジ無し	5	0.09889%	○	○
ニッセイ外国株式インデックスファンド	ニッセイアセットマネジメント	先進国株式(広域)-為替ヘッジ無し	5	0.09889%	○	○
楽天・全米株式インデックス・ファンド	楽天投信投資顧問	米国株式-為替ヘッジ無し	5	0.162%	○	○
eMAXISSlim米国株式(S&P500)	三菱UFJアセットマネジメント	米国株式-為替ヘッジ無し	5	0.09372%	○	○
iFree S&P500インデックス	大和アセットマネジメント	米国株式-為替ヘッジ無し	5	0.198%	○	○
iシェアーズ米国株式(S&P500)インデックス・ファンド	ブラックロック・ジャパン	米国株式-為替ヘッジ無し	5	0.0938%	○	○
楽天・S&P500インデックス・ファンド	楽天投信投資顧問	米国株式-為替ヘッジ無し	—	0.077%	○	○
eMAXISSlim国内株式(TOPIX)	三菱UFJアセットマネジメント	国内株式	5	0.143%	○	○
ニッセイTOPIXインデックスファンド	ニッセイアセットマネジメント	国内株式	5	0.143%	○	○
三井住友・DCつみたてNISA・日本株インデックスファンド	三井住友DSアセットマネジメント	国内株式	5	0.176%	○	○

❸ 取引種別 のチェックボックスで絞り込みをかけていく

取引種別	→	□ NISAつみたて投資枠 □ NISA成長投資枠
インデックス区分	→	□ インデックスのみ □ インデックスを除く
投資対象地域	→	□ 日本 □ グローバル（日本含む）
楽天証券分類	→	□ 国内株式 □ 米国株式 - 為替ヘッジ無し
ファンドスコア	→	1年、3年、5年など運用期間ごとに評価の高い投資信託を独自のスコアでレーティング

■ アクティブファンドの例

投資信託名	運用会社	楽天証券分類	楽天証券ファンドスコア(3年)	運用管理費用(税込)	インデックス運用	つみたて投資枠対象
ひふみプラス	レオス・キャピタル・ワークス	国内株式	1	1.078%	—	○
日経平均高配当利回りファンド	三菱UFJアセットマネジメント	国内株式	5	0.693%	—	○
コモンズ30ファンド	コモンズ投信	国内株式	3	1.078%	—	○
スパークス・新・国際優良日本株ファンド	スパークス・アセット・マネジメント	国内株式	3	1.804%	—	—
キャピタル世界株式ファンド	キャピタル・インターナショナル	先進国株式（広域）- 為替ヘッジ無し	2	1.701%	—	—
アライアンス・バーンスタイン・米国成長株投信Bコース（為替ヘッジなし）	アライアンス・バーンスタイン	米国株式 - 為替ヘッジ無し	3	1.727%	—	—
なかの世界成長ファンド	なかのアセットマネジメント	先進国・新興国株式（広域）- 為替ヘッジ無し	—	1.50%	—	—

※ 楽天証券分類、楽天証券ファンドスコアは2024年5月25日のデータを使用しています
※ 上記紹介の投資信託は一例です。将来の運用成績を保証するものではありませんのでご注意ください

株を買うならどれにする？

ネット証券の検索機能を活用してみよう 楽天証券のケース

■ 日本株の銘柄検索

❶ 国内株式 → ❷ スーパースクリーナー → ❸ 条件設定

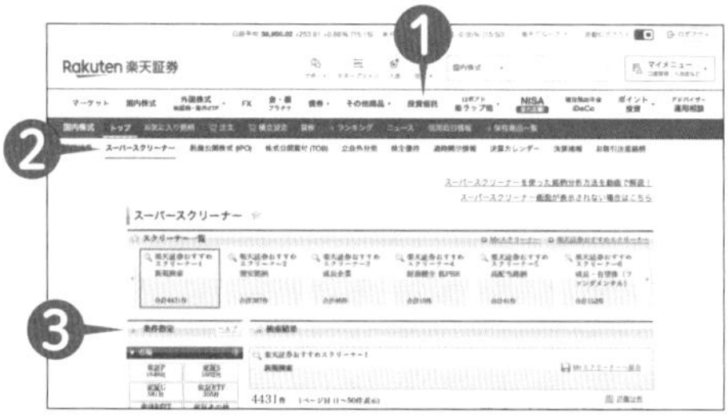

►市場規模、投資金額、インデックス採用の有無、業種、割安株、成長株、など検索ができる

■ 株主優待銘柄検索

❶ 国内株式 → ❷ 株式優待 → ❸ 検索条件

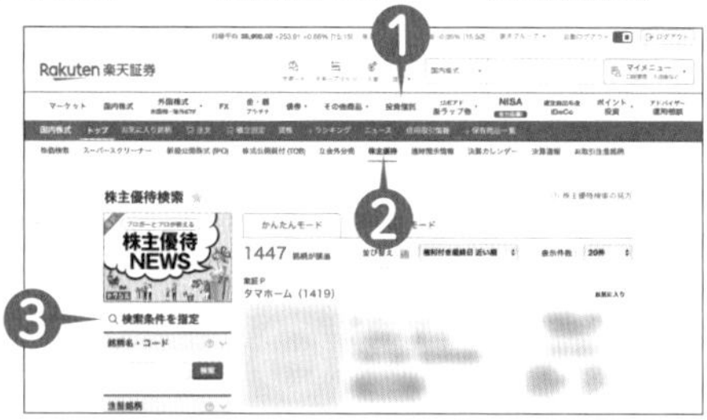

►優待内容、権利確定月、投資金額など検索ができる

■ 米国株銘柄検索

❶ 外国株式 → ❷ 米国株式 → ❸ スーパースクリーナー

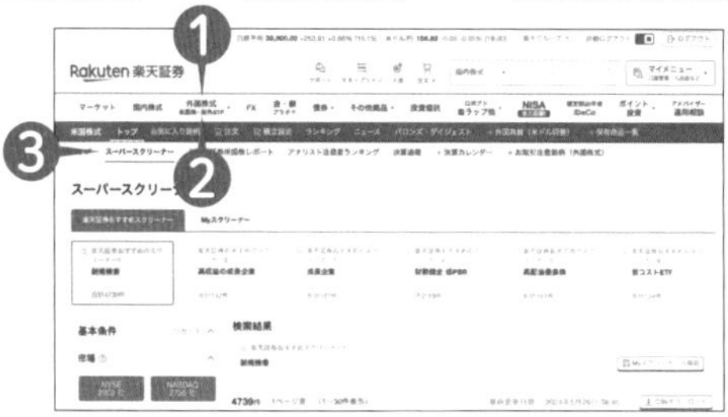

►市場、業種配当利回り、業績など検索ができる

※ 画像は3点ともに2024年5月27日時点

■ 国内株　株主優待銘柄の例

銘柄名	権利確定月	株主優待内容
日本電信電話（NTT）	3月	dポイントを付与（継続株主のみ）
楽天グループ	12月	自社サービス割引（楽天モバイル）
イオン	2月／8月	優待カード（後日ポイントバック）／継続株主に商品券
オリエンタルランド	3月／9月	ディズニーランド（シー）　1デーパスポート／継続株主は枚数追加
すかいらーくHD	6月／12月	自社商品券
カゴメ	6月	自社商品（昨年12月末より継続保有）
日本マクドナルドHLDG	6月／12月	自社商品券（1年以上の保有）
タカラトミー	3月／9月	自社商品割引（継続株主は割引率アップ）／自社商品

※ 各社ホームページより
※ 掲載した会社以外にも、たくさんの企業が様々な株主優待を提供しています
※ 2024年5月時点の情報であり、株主優待の内容が変更されることがあります
※ 上記紹介の銘柄は一例です。将来の運用成績を保証するものではありませんのでご注意ください

■ 米国株　高配当株の例

銘柄名	配当月	配当利回り	補足
ベライゾン・コミュニケーションズ	2,5,8,11月	6.65%	総合通信サービス会社
AT&T	2,5,8,11月	6.35%	無線通信サービス会社
ファイザー	3,6,9,12月	5.67%	医薬品会社
シスコ システムズ	1,4,7,10月	3.37%	通信、ネットワークの設計・販売
エクソンモービル	3,6,9,12月	3.29%	エネルギー、石油会社
コカ・コーラ	4,7,10,12月	3.07%	世界的清涼飲料水メーカー
スリーエム	3,6,9,12月	2.77%	工場素材から文房具まで幅広く

※ 各社ホームページより
※ 掲載した会社以外にも、たくさんの米国企業が高配当を実施しています
※ 2024年5月25日時点の情報（楽天証券の検索機能を活用）であり、配当利回りは変動します
※ 上記紹介の銘柄は一例です。将来の運用成績を保証するものではありませんのでご注意ください

索引

た行

な行

は行

ま行

や・ら行

■ **問い合わせについて**

本書の内容に関するご質問は、下記の宛先までFAXまたは書面にてお送りください。下のQRコードからもアクセスできます。なお電話によるご質問、および本書に記載されている内容以外の事柄に関するご質問にはお答えできかねます。あらかじめご了承ください。

〒162-0846
東京都新宿区市谷左内町21-13
株式会社技術評論社　書籍編集部
「60分でわかる!　新NISA投資術」質問係
FAX:03-3513-6181

※ご質問の際に記載いただいた個人情報は、ご質問の返答以外の目的には使用いたしません。
また、ご質問の返答後は速やかに破棄させていただきます。

60分でわかる! 新NISA投資術

2024年7月16日　初版　第1刷発行
2024年7月17日　初版　第2刷発行

著者……………………山崎 俊 輔
発行者…………………片岡　巌
発行所…………………株式会社 技術評論社
東京都新宿区市谷左内町 21-13
電話……………………03-3513-6150　販売促進部
03-3513-6185　書籍編集部
担当……………………伊東健太郎
編集……………………塚越雅之（TIDY）
装丁……………………菊池　祐（株式会社ライラック）
本文デザイン…………山本真琴（design.m）
DTP・作図……………土屋　光（Perfect Vacuum）
製本／印刷……………株式会社シナノ

定価はカバーに表示してあります。
本書の一部または全部を著作権法の定める範囲を超え、
無断で複写、複製、転載、テープ化、ファイルに落とすことを禁じます。

©2024　株式会社山崎兄弟社
造本には細心の注意を払っておりますが、万一、乱丁（ページの乱れ）や落丁（ページの抜け）がございましたら、小社販売促進部までお送りください。送料小社負担にてお取り替えいたします。

ISBN978-4-297-14255-1 C0033
Printed in Japan